2학년이 꼭✓알아야 할 수학 문장제!

2학년이 꼭✓ 알아야 할
수학 문장제

수학 문장제의 구성

① 1학년부터 6학년까지 각 학년별 한 권씩으로 구성되어 있습니다.

② 상위권 학생은 물론 중하위권 학생까지 누구나 쉽게 공부할 수 있도록 구성하였습니다.

③ 각종 수학 문장제를 해결하는 방법을 명쾌히 제시하여 수학 문장제에 자신감을 얻도록 하였습니다.

④ 자학자습용으로 뿐만 아니라 학원에서 특강용으로 활용할 수 있도록 구성하였습니다.

수학 문장제의 특징

탐구문제
각 문장제의 원리를 알 수 있도록 구성하였습니다.

확인문제
탐구문제에서 터득한 원리를 확인할 수 있도록 하였습니다.

동메달 따기
문장제의 기본 원리를 적용하여 문제 해결을 함으로써, 자신감을 갖도록 하였습니다.

은메달 따기
동메달 따기에서 얻은 자신감을 바탕으로 좀 더 향상된 문제해결력을 지닐 수 있도록 하였습니다.

금메달 따기
다소 발전적인 문제로 구성되어, 도전의식을 지니고 문제를 해결해 보도록 하였습니다.

Contents 차례

야호!!
금메달.

재밌는
문장제
문제풀이

수학 문장제
2 학년

난
은메달.

에쿠
동메달..
그래두 좋아.

1 덧셈식 세워 해결하기

탐구문제

동민이는 구슬을 56개 가지고 있고, 율기는 구슬을 88개 가지고 있습니다. 동민이와 율기가 가지고 있는 구슬은 모두 몇 개인지 구하시오.

풀이

56개	88개
동민이 구슬 수	율기 구슬 수

전체 구슬 수

꼼꼼 돌다리

$$\begin{array}{r} 1 \\ 56 \\ +88 \\ \hline 144 \end{array}$$

전체 구슬 수는 덧셈식을 세워 구할 수 있습니다.

따라서, 전체 구슬 수는 56+88=144(개)입니다.

Check Point

□개와 △개를 합한 모두를 물어보는 문제는 □+△와 같이 덧셈식을 세워 해결합니다.

확인문제

한솔이는 바둑돌을 24개 가지고 있고, 석기는 바둑돌을 한솔이보다 12개 더 가지고 있으며, 가영이는 바둑돌을 석기보다 4개 더 가지고 있습니다. 가영이가 가지고 있는 바둑돌은 몇 개인지 구하시오.

1 한솔이가 가지고 있는 바둑돌은 몇 개입니까?

( )

2 석기가 가지고 있는 바둑돌은 몇 개인지 식을 세워 구하시오.

( )

'~보다 더'라는 말 뜻을 생각하세요.

3 가영이가 가지고 있는 바둑돌은 몇 개인지 하나의 식으로 정리하여 구하시오.

( )

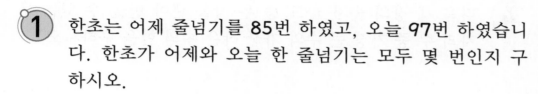

① 한초는 어제 줄넘기를 85번 하였고, 오늘 97번 하였습니다. 한초가 어제와 오늘 한 줄넘기는 모두 몇 번인지 구하시오.

풀이 ▶

답 _____

② 예슬이네는 1년 동안 빈 병을 246개 모았고, 영수네는 1년 동안 빈 병을 349개 모았습니다. 예슬이네와 영수네가 1년 동안 모은 빈 병은 모두 몇 개인지 구하시오.

풀이 ▶

답 _____

③ 동민이네 양계장에서는 어제 달걀을 362개 생산하였고, 오늘은 어제보다 108개 더 생산하였습니다. 오늘 생산한 달걀은 몇 개인지 구하시오.

풀이 ▶

(오늘 생산한 달걀)
=(어제 생산한 달걀)+108

답 _____

4 다음 세 장의 숫자 카드 중 두 장을 뽑아 만들 수 있는 두 자리 수 중 가장 큰 수와 가장 작은 수의 합을 구하시오.

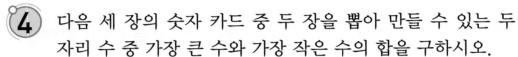

풀이

답 _____

(사탕 한 봉지의 사탕 수)
=(내가 가진 사탕)
+(동생이 가진 사탕)
+(남은 사탕)

5 어머니께서 사탕 한 봉지를 사서 나에게 15개, 동생에게 18개를 주고 나니 12개가 남았습니다. 사탕 한 봉지 안에는 사탕이 몇 개 들어 있었는지 구하시오.

풀이

답 _____

(심은 나무 수)
=(밤나무 수)
+(소나무 수)
+(잣나무 수)

6 가영이네 학교에서는 식목일에 밤나무 52그루, 소나무 48그루, 잣나무 65그루를 심었습니다. 심은 나무는 모두 몇 그루인지 구하시오.

풀이

답 _____

1 한초는 100원짜리 동전 2개와 10원짜리 동전 19개를 가지고 있고, 석기는 500원짜리 동전 1개와 10원짜리 동전 8개를 가지고 있습니다. 한초와 석기의 돈은 모두 얼마인지 구하시오.

풀이 ▶

10원짜리 동전 19개는?
➡ 190원

답 _____

2 과일 가게에 사과, 감, 배가 있습니다. 사과는 325개 있고, 감은 사과보다 36개 더 많고, 배는 감보다 12개 더 많습니다. 배는 몇 개입니까?

풀이 ▶

(감의 수)
=(사과의 수)+36,
(배의 수)
=(감의 수)+12

답 _____

3 100이 3, 10이 9, 1이 5인 수보다 333 큰 수는 얼마입니까?

풀이 ▶

100이 3인 수는?
➡ 300
10이 9인 수는? ➡ 90
1이 5인 수는? ➡ 5

답 _____

4 다음 숫자 카드를 한 번씩 사용하여 만든 세 자리 수 중에서 가장 큰 수와 두 번째로 작은 수의 합은 얼마인지 구하시오.

$\boxed{2}$, $\boxed{5}$, $\boxed{3}$, $\boxed{4}$

가장 작은 수부터 늘어 놓으면,

234
235
243
245
⋮

답 _____

5 과일 가게에서 어제 귤을 156개 팔고, 오늘 189개를 팔았더니 귤은 96개가 남았습니다. 어제 귤을 팔기 전 귤은 모두 몇 개가 있었는지 구하시오.

풀이 ▷

(처음 귤 수)
=(어제 판 귤 수)
 +(오늘 판 귤 수)
 +(남은 귤 수)

답 _____

6 동민이는 매일 아침 100m 달리기를 하였습니다. 첫째 날은 2번을 달렸고, 매일 전날보다 1번씩 더 달리기로 하였습니다. 동민이가 3일 동안 달린 거리는 모두 몇 m 인지 구하시오.

풀이 ▷

첫째 날 달린 거리는?
➡ 200m
3일 동안 달린 거리는?
➡ (첫째 날)+(둘째 날)
 +(셋째 날)

답 _____

1 감과 배가 합하여 65개 있고, 귤은 감과 배의 개수의 합보다 12개 많습니다. 과일은 모두 몇 개인지 구하시오.

풀이 ▶

(귤의 수)
=(감과 배의 개수의 합)
+12
(과일의 수)
=(귤의 수)+(감과 배의
개수의 합)

답 _____

2 농장에 닭, 오리, 돼지가 있습니다. 닭은 오리보다 25마리 많고, 오리는 돼지보다 40마리 더 많습니다. 돼지가 120마리라면 닭은 몇 마리인지 구하시오.

풀이 ▶

(오리의 수)
=(돼지의 수)+40
(닭의 수)
=(오리의 수)+25

답 _____

3 어떤 수에 50을 더해야 할 것을 잘못하여 빼었더니 180이 되었습니다. 바르게 계산한 값을 구하시오.

풀이 ▶

(어떤 수)−50=180
(어떤 수)=180+50
=230

답 _____

2 뺄셈식 세워 해결하기

탐구문제

도토리와 밤이 모두 254개 있습니다. 이 중 도토리가 146개일 때 밤은 몇 개인지 구하시오.

풀이 ▶

254개

도토리의 개수	밤의 개수

146개   ?

꼼꼼 돌다리

```
 4 10
 2 5 4
-1 4 6
─────
 1 0 8
```

전체 개수에서 도토리의 개수를 뺀 나머지가 밤의 개수입니다.
따라서, 밤의 개수는 254－146＝108(개)입니다.

Check Point

전체 개수 □개에서 한 부분의 개수 △개를 뺀 나머지 개수를 물을 때, □－△와 같이 뺄셈식을 세워 해결합니다.

확인문제

석기는 180장의 색종이를 가지고 있었습니다. 이 중 지난달 50장을 사용하였고 이번달에 45장을 사용하였습니다. 다음달에 40장의 색종이를 사용한다면 색종이는 몇 장이 남게 되는지 구하시오.

1 지난달 50장을 사용하고 남은 색종이의 수를 구하시오.

(   )

2 이번달에 45장을 사용하고 남은 색종이의 수를 구하시오.

(   )

지난달 사용하고 남은 색종이 수에서 45장을 빼야겠네요.

3 다음달에 40장을 사용한다면 몇 장이 남는지 구하시오.

(   )

① 캠프에 참가한 어린이가 768명 있습니다. 이 중 남자 어린이가 406명입니다. 여자 어린이는 몇 명인지 구하시오.

풀이▶

답 _____

② 장난감 공장에서 지난달 645개의 장난감을 만들었고, 이번달에는 892개의 장난감을 만들었습니다. 이번달은 지난달보다 몇 개의 장난감을 더 만들었는지 구하시오.

풀이▶

(이번달 장난감 수)
-(지난달 장난감 수)

답 _____

③ 예슬이와 가영이는 1년 동안 빈 병을 모았습니다. 예슬이는 282개를 모았고 가영이는 361개를 모았습니다. 가영이는 빈 병을 예슬이보다 몇 개 더 모았는지 구하시오.

풀이▶

답 _____

4 상자에 귤이 156개 들어 있습니다. 이 귤 중 50개는 삼촌 댁에 드리고, 38개는 이모 댁에 드렸습니다. 상자에 남은 귤은 몇 개인지 구하시오.

답 _____

5 동민이는 철사를 520cm가지고 있었습니다. 이 철사 중 345cm는 호랑이 모양을 만드는 데 사용하고, 나머지 철사 중 120cm는 토끼를 만드는 데 사용하였습니다. 남은 철사는 몇 cm인지 구하시오.

답 _____

6 석기네 집 자두나무에 자두가 128개 열렸습니다. 이 중 12개는 떨어져 버리고, 55개는 따 먹었습니다. 자두나무에 남아 있는 자두는 몇 개인지 구하시오.

답 _____

1 석기는 어제 공부를 2시간 35분 동안 하였고, 오늘은 공부를 3시간 15분 동안 하였습니다. 석기는 오늘 어제보다 몇 분 더 공부하였는지 구하시오.

 ▶

3시간 15분
=180분+15분
=195분
2시간 35분
=120분+35분
=155분

답 _____

2 주어진 숫자 카드를 한 번씩만 사용하여 결과가 가장 큰 뺄셈식을 만들려고 합니다. ☐ 안에 알맞은 수를 구하시오.

1 , 4 , 7 , 9

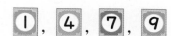

풀이 ▶

가장 큰 두 자리 수를 만들면? ➡ 9☐
가장 작은 두 자리 수를 만들면? ➡ 1☐

답 _____

3 어떤 수에서 253을 빼어야 할 것을 잘못하여 더하였더니 584가 되었습니다. 어떤 수를 구하시오.

풀이 ▶

(어떤수)+253=584

답 _____

가장 큰 세 자리 수?
➡ 8☐☐

가장 작은 세 자리 수?
➡ 2☐☐

4 다음 숫자 카드를 한 번씩만 사용하여 만들 수 있는 세 자리 수 중 가장 큰 수와 가장 작은 수의 차를 구하시오.

$$2, \quad 7, \quad 8, \quad 4, \quad 0$$

풀이 ▶

답 _____

8☐2에서 ☐는 5 또는
6이 되어야 하겠지요!

5 다음 뺄셈식의 ☐ 안에는 모두 같은 숫자가 들어갑니다. ☐ 안에 알맞은 숫자는 무엇입니까?

$$
\begin{array}{r}
8\ \square\ 2 \\
-\ 2\ 3\ \square \\
\hline
6\ 2\ \square
\end{array}
$$

풀이 ▶

답 _____

사과의 수는?
➡ 278-125

6 귤과 사과를 합하여 278개 있습니다. 이 중 귤이 125개 입니다. 사과는 귤보다 몇 개 더 많은지 구하시오.

풀이 ▶

답 _____

1 율기네 학교 2학년 학생은 340명입니다. 이 중 남학생은 180명이고, 여학생 중 안경을 낀 학생은 48명입니다. 안경을 끼지 않은 여학생은 몇 명인지 구하시오.

(여학생 수)
=(전체 학생 수)
　-(남학생 수)
(안경을 끼지 않은 여학생 수)
=(여학생 수)-(안경을 낀 여학생 수)

답 _____

2 백의 자리 숫자가 3, 일의 자리 숫자가 8인 세 자리 수 중에서 둘째 번으로 큰 수와 셋째 번으로 작은 수의 차를 구하시오.

3□8에서 □ 안에 들어갈 수를 생각해 보세요!

답 _____

3 다음 □ 안에 들어갈 수 있는 세 자리 수는 모두 몇 개인지 구하시오.

$$593 - \boxed{} > 245$$

□안에 들어갈 가장 작은 세 자리 수는?
▶ 100
□ 안에 들어갈 가장 큰 세 자리 수는?
▶ 593-245-1

답 _____

③ 곱셈식 세워 해결하기

탐구문제

주차장에 승용차가 **7**대 서 있습니다. 승용차의 바퀴는 모두 몇 개인지 구하시오.

풀이

승용차 1대마다 바퀴는 4개씩 있습니다. 그러므로 바퀴 전체의 수를 곱셈식으로 나타내면 $4 \times 7 = 28$(개)이므로 바퀴는 모두 **28**개입니다.

꼼꼼 돌다리

4×7은 4개씩 7묶음을 뜻하며 4를 7번 더한 값과 같습니다.

Check Point

승용차가 △대 있을 때, 바퀴 전체의 수는 $4 \times △$ 와 같이 곱셈식으로 나타내어 구합니다.

확인문제

석기는 하루에 3시간씩 일 주일 동안 책을 읽었고, 가영이는 하루에 2시간씩 5일 동안 책을 읽었습니다. 석기와 가영이가 책을 읽은 시간을 각각 구하시오.

1 일 주일은 며칠입니까?

( )

2 석기가 책을 읽은 시간을 곱셈식을 세워 구하시오.

( )

석기는 하루에 3시간씩 7일동안 책을 읽었군요!

3 가영이가 책을 읽은 시간을 곱셈식을 세워 구하시오.

( )

1 동물원에 사자가 5마리 있습니다. 사자의 다리는 모두 몇 개인지 구하시오.

 풀이

답 _____

사자 1마리의 다리 수는? ➡ 4개

2 어린이가 한 줄에 8명씩 4줄로 서 있습니다. 어린이는 모두 몇 명인지 구하시오.

 풀이

답 _____

3 사탕이 9개씩 들어 있는 봉지가 6봉지 있습니다. 사탕은 모두 몇 개인지 구하시오.

풀이

답 _____

일 주일은? ➡ 7일

4 율기는 매일 8시간씩 잠을 잡니다. 일 주일 동안에는 몇 시간을 자는지 구하시오.

답 _____

5 10원짜리 동전을 3개씩 8줄로 늘어놓았습니다. 10원짜리 동전은 모두 몇 개인지 구하시오.

답 _____

한 바구니에 들어 있는 사과의 개수는?
➡ 7개

6 7개의 바구니에 사과가 7개씩 들어 있습니다. 사과는 모두 몇 개인지 구하시오.

답 _____

1 한 봉지에 5개씩 들어 있는 과자가 6봉지 있습니다. 이 과자를 6명의 어린이가 똑같이 나누어 먹으려면 몇 개씩 먹어야 하는지 구하시오.

풀이▶

답

(과자 전체의 개수)
=6명×(1명이 먹는 과자의 수)

2 석기와 예슬이가 곱셈 놀이를 하였습니다. 석기가 '3'이 라고 말하면 예슬이는 '12'라고 답하고, 석기가 '7'이라 고 말하면 예슬이는 '28'이라고 답하였습니다. 석기가 '9'라고 말하면 예슬이는 어떤 수를 답하여야 하는지 구 하시오.

풀이▶

답

$3 \times \square = 12,$
$7 \times \square = 28$

3 한초와 가영이는 숫자 카드를 각각 한 장씩 가지고 있습 니다. 이 숫자 카드에 쓰인 숫자끼리 곱하였더니 42가 되었습니다. 한초가 가진 숫자 카드는 무엇인지 있는대 로 구하시오.

풀이▶

답

구구셈을 하여 42가 되는 경우를 생각하 세요.

4 한초는 연필을 3자루씩 3묶음 가지고 있고 한초의 형은 한초가 가진 연필 수의 2배를 가지고 있습니다. 한초의 형이 가지고 있는 연필은 몇 자루인지 구하시오.

(형의 연필 수)
=(한초의 연필 수)×2

풀이

답 _____

5 석기 동생의 나이는 4살이고 석기의 나이는 동생 나이의 2배입니다. 석기 나이의 4배가 삼촌의 나이라면 삼촌의 나이는 몇 살인지 구하시오.

(석기 나이)
=(동생 나이)×2
(삼촌 나이)
=(석기 나이)×4

풀이

답 _____

6 동민이는 사탕을 2개 가지고 있습니다. 석기는 동민이가 가진 사탕의 2배를 가지고 있고, 영수는 석기가 가지고 있는 사탕의 3배를 가지고 있습니다. 영수가 가지고 있는 사탕은 몇 개인지 구하시오.

(석기의 사탕 수)
=(동민의 사탕 수)×2
(영수의 사탕 수)
=(석기의 사탕 수)×3

풀이

답 _____

1 0에서 9까지의 수 중 어떤 수는 무엇인지 있는대로 구하시오.

(어떤 수)×8 < 60
(어떤 수)×5 > 20

> • 어떤 수의 8배는 60보다 작습니다.
> • 어떤 수의 5배는 20보다 큽니다.

풀이

답 _____

2 다음 곱셈식을 보고, ▲, ★, ●에 알맞은 수를 각각 구하시오.

●, ★, ▲의 순서대로 구하세요.

> • ▲ × ★ = ★
> • ★ × 2 = ●
> • ● × 5 = 30

풀이

답 _____

3 한초는 사탕을 6개, 가영이는 사탕을 4개 가지고 있고 율기는 가영이가 가지고 있는 사탕 수의 3배를 가지고 있습니다. 율기는 한초가 가지고 있는 사탕 수의 몇 배를 가지고 있는지 구하시오.

(율기의 사탕 수)
=(한초의 사탕 수)
×□배

풀이

답 _____

4 혼합계산식 세워 해결하기

동물원에 코끼리가 **5**마리, 타조가 **7**마리 있습니다. 코끼리와 타조의 다리는 모두 몇 개인지 구하시오.

풀이

코끼리는 다리가 **4**개씩이므로 코끼리 **5**마리의 다리 수는 $4 \times 5 = 20$(개), 타조는 다리가 **2**개씩이므로 타조 **7**마리의 다리 수는 $2 \times 7 = 14$(개)입니다.
따라서, 다리는 모두 $20 + 14 = 34$(개)입니다.
이것을 하나의 식으로 나타내면,
$4 \times 5 + 2 \times 7 = 34$(개)입니다.

꼼꼼 돋다리

곱셈과 덧셈, 또는 곱셈과 뺄셈이 혼합되어 있을 때, 곱셈부터 먼저 계산합니다.

Check Point
문제의 조건에 맞도록 혼합계산식을 세워 답을 구합니다.

확인문제

한초의 나이는 **9**살이고 아버지의 연세는 한초 나이의 **5**배보다 **5**살 더 적습니다. 아버지의 연세를 구하시오.

1 한초의 나이는 몇 살입니까?

(   )

2 한초 나이의 **5**배는 얼마인지 식을 세워 구하시오.

(   )

3 아버지의 연세를 하나의 식으로 세워 구하시오.

(   )

곱셈과 뺄셈이 혼합되어 있는 식을 세워야 하겠지요?

1 예슬이네 양계장에서 어제 달걀을 500개 생산하였고 그 중 350개를 팔았습니다. 오늘 또 생산한 달걀이 485개라면, 현재 양계장에 있는 달걀은 모두 몇 개인지 구하시오.

(어제 생산한 달걀 수)-350+(오늘 생산한 달걀 수)

답 _____

2 율기네 학교의 2학년 학생은 280명이었습니다. 지금까지 25명이 전학을 갔고 29명이 전학을 왔습니다. 율기네 학교의 2학년 학생은 몇 명이 되었는지 구하시오.

전학을 간 사람 수?
➡ 빼기
전학을 온 사람 수?
➡ 더하기

답 _____

3 어린이 11명이 있습니다. 이 중 4명의 어린이는 사탕을 9개씩 가지고 있고, 나머지 어린이는 사탕을 6개씩 가지고 있습니다. 어린이들이 가지고 있는 사탕은 모두 몇 개인지 구하시오.

나머지 어린이는 몇 명? ➡ 11-4

답 _____

4 동민이는 연필을 3자루씩 7묶음 가지고 있고, 신영이는 연필을 6자루씩 9묶음 가지고 있습니다. 동민이의 연필 수가 신영이와 같아지려면 동민이는 몇 자루 더 있어야 하는지 구하시오.

연필의 수가 같아지려면 연필 수의 차이만큼 더 있어야 하겠지요!

답 _____

5 상자가 7상자 있으며, 한 상자 안에는 8개의 음료수가 들어 있습니다. 음료수 28개를 마셨다면 남은 음료수는 몇 개인지 구하시오.

(남은 음료수)=(전체 음료수)-(마신 음료수)

답 _____

6 석기는 연필을 3다스 가지고 있습니다. 이 중 15자루를 사용한 뒤, 다시 2다스를 더 사왔습니다. 사용하지 않은 연필은 모두 몇 자루인지 구하시오.

연필 1다스
➡ 12자루

답 _____

1 한초는 색종이를 8장 가지고 있습니다. 율기는 한초가 가지고 있는 색종이 수의 6배보다 5장 더 많이 가지고 있습니다. 율기가 가지고 있는 색종이는 몇 장인지 구하시오.

풀이

(율기의 색종이 수)
=(한초의 색종이 수)
×■+▲

답 _____

2 석기는 빨간 구슬 5개, 노란 구슬 3개, 파란 구슬 1개를 가지고 있습니다. 동민이는 석기가 가지고 있는 구슬 수의 7배보다 13개 더 적게 가지고 있습니다. 동민이가 가지고 있는 구슬은 몇 개인지 구하시오.

풀이

(동민이의 구슬 수)
=(석기의 구슬 수)
×■-▲

답 _____

3 색테이프를 한 도막이 8cm가 되도록 잘라 9도막을 만들려고 보니 6cm가 모자랐습니다. 색테이프의 길이를 구하시오.

풀이

(색테이프의 길이)
=(필요한 색테이프의
길이)-(모자란 색테
이프의 길이)

답 _____

(한별이의 남은 토마토 수)
=30-(예슬이가 먹은 토마토 수)×3

4 예슬이와 한별이는 각각 방울토마토를 30개씩 가지고 있습니다. 예슬이가 방울토마토를 7개 먹고, 한별이는 예슬이의 3배를 먹는다면, 한별이에게는 몇 개의 방울토마토가 남는지 구하시오.

풀이▶

답_____

펼쳐진 손가락 수
• 가위 ➡ 2개
• 바위 ➡ 0개
• 보 ➡ 5개

5 10명의 어린이가 가위바위보를 합니다. 3명은 가위, 2명은 바위, 나머지는 보를 내었습니다. 펼쳐진 손가락은 모두 몇 개인지 구하시오.

풀이▶

답_____

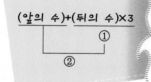

(앞의 수)+(뒤의 수)×3
         └─①─┘
    └────②────┘

6 다음을 **보기**와 같이 계산할 때, □ 안에 알맞은 수를 구하시오.

> **보기**
> ㉮☆㉯=㉮+㉯×3
> (예) 5☆4=5+(4×3)=17

398☆8=□

풀이▶

답_____

1 동민이는 사탕을 8개 가지고 있습니다. 율기는 동민이가 가지고 있는 사탕의 5배보다 25개 더 가지고 있고, 예슬이는 율기보다 29개 더 적게 가지고 있습니다. 예슬이가 가지고 있는 사탕 수를 구하시오.

(율기의 사탕 수)
=(동민이의 사탕 수)
×■+▲

풀이▶

답 _____

2 한별이네 농장에는 소 8마리와 닭 몇 마리가 있습니다. 소와 닭의 다리 수가 모두 50개일 때, 닭은 몇 마리인지 구하시오.

(소의 다리 수)
=4×(소의 마리 수),
(닭의 다리 수)
=2×(닭의 마리 수)

풀이▶

답 _____

3 어떤 두 수가 있습니다. 두 수의 곱은 18이고, 큰 수는 작은 수의 2배입니다. 큰 수의 9배보다 50 작은 수를 구하시오.

두 수의 곱이 18이 되는 경우
(작은 수)×(큰 수)
• 1×18
• 2×9
• 3×6

풀이▶

답 _____

5 예상하여 해결하기

탐구문제

한솔이와 예슬이가 가지고 있는 구슬은 모두 40개입니다. 한솔이가 예슬이보다 8개 더 가지고 있다면, 한솔이와 예슬이는 구슬을 각각 몇 개씩 가지고 있는지 구하시오.

풀이 한솔이와 예슬이가 각각 가지고 있는 구슬 수를 예상하여 봅니다. 이 때, 두 사람이 가지고 있는 구슬 수의 합은 항상 40개가 되도록 합니다.

한솔이가 가지고 있는 구슬 수	20개	21개	22개	23개	24개	25개
예슬이가 가지고 있는 구슬 수	20개	19개	18개	17개	16개	15개
구슬 수의 합	40개	40개	40개	40개	40개	40개
구슬 수의 차	0개	2개	4개	6개	8개	10개

위의 표에서 볼 때, 한솔이와 예슬이의 구슬 수의 차가 8개가 되는 때는 한솔이가 24개, 예슬이가 16개를 가지고 있을 때입니다. 즉, 24+16=40(개), 24-16=8(개)임을 확인할 수 있으므로, 한솔이는 24개, 예슬이는 16개를 가지고 있습니다.

꼼꼼 돌다리

가지고 있는 개수를 예상할 때, 우선 반씩 가진 것으로 예상하고 출발하는 것이 편한 경우가 많습니다.

Check Point

전체 개수를 반으로 나누어 가지고 있는 것으로 예상하고 출발하여 문제의 조건에 맞는 것을 찾아갑니다.

확인문제

석기와 가영이가 가지고 있는 사탕은 모두 30개입니다. 석기가 가영이보다 6개 더 가지고 있다면, 석기와 가영이가 가지고 있는 사탕은 각각 몇 개인지 구하시오.

1 표의 빈 칸에 알맞은 수를 써 넣으시오.

석기의 사탕 수(개)	15	16		18
가영이의 사탕 수(개)	15		13	
사탕 수의 합(개)	30			

사탕 수의 차가 6인 것, 잊지 마세요~

2 석기와 가영이는 사탕을 각각 몇 개씩 가지고 있는지 구하시오.

( )

1 동민이와 율기가 가지고 있는 연필은 모두 20자루입니다. 동민이가 율기보다 4자루 더 가지고 있다면 동민이는 몇 자루 가지고 있는지 구하시오.

풀이▶

각각의 연필 수를 예상하고, 표를 만들어 알아봅시다.

답 _____

2 한별이와 예슬이가 가지고 있는 색종이는 모두 100장입니다. 한별이가 예슬이보다 8장 더 가지고 있다면 한별이는 몇 장을 가지고 있는지 구하시오.

풀이▶

각각 50장씩 가졌다고 예상하고 출발해 보세요.

답 _____

3 신영이와 한솔이가 가지고 있는 돈은 모두 2000원입니다. 신영이가 한솔이보다 400원 더 가지고 있다면 한솔이는 얼마를 가지고 있는지 구하시오.

풀이▶

한솔이는 돈을 적게 가지고 있는 사람임에 유의하세요.

답 _____

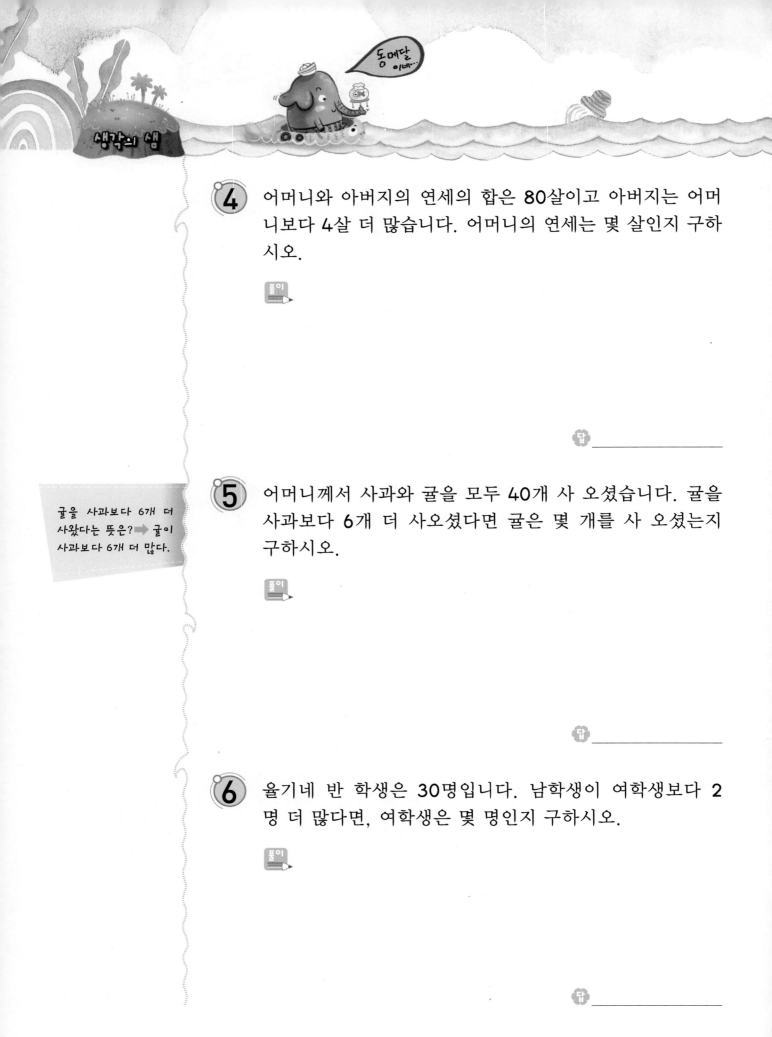

4 어머니와 아버지의 연세의 합은 80살이고 아버지는 어머니보다 4살 더 많습니다. 어머니의 연세는 몇 살인지 구하시오.

풀이 ▶

답 _____

굴을 사과보다 6개 더 사왔다는 뜻은? ➡ 굴이 사과보다 6개 더 많다.

5 어머니께서 사과와 굴을 모두 40개 사 오셨습니다. 굴을 사과보다 6개 더 사오셨다면 굴은 몇 개를 사 오셨는지 구하시오.

풀이 ▶

답 _____

6 율기네 반 학생은 30명입니다. 남학생이 여학생보다 2명 더 많다면, 여학생은 몇 명인지 구하시오.

풀이 ▶

답 _____

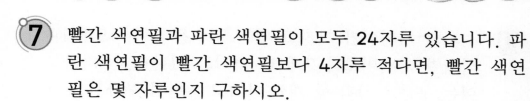

7 빨간 색연필과 파란 색연필이 모두 24자루 있습니다. 파란 색연필이 빨간 색연필보다 4자루 적다면, 빨간 색연필은 몇 자루인지 구하시오.

풀이 ▶

파란 색연필이 빨간 색연필보다 4자루 적다는 뜻은 ➡ 빨간 색연필이 4자루 더 많다.

답 _____

8 사탕 42개를 한초와 예슬이가 나누어 먹었습니다. 한초가 예슬이보다 6개 적게 먹었다면, 예슬이가 먹은 사탕은 몇 개인지 구하시오.

풀이 ▶

예슬이가 한초보다 6개 더 먹은 셈이군요!

답 _____

9 장미와 튤립이 모두 60송이 있습니다. 튤립이 장미보다 8송이 적다면 튤립은 몇 송이인지 구하시오.

풀이 ▶

답 _____

생각의 샘

석기가 23개, 가영이가 22개라고 예상한 것부터 시작해 보세요.

10 석기와 가영이가 가지고 있는 구슬은 모두 45개입니다. 석기가 가영이보다 7개 더 가지고 있다면, 석기와 가영이는 구슬을 각각 몇 개씩 가지고 있는지 구하시오.

풀이

답 _____

어떤 색 바둑돌이 더 많은가요?
➡ 검은색

11 바둑돌이 87개 있습니다. 흰색 바둑돌이 검은색 바둑돌보다 5개 적다면 흰색 바둑돌과 검은색 바둑돌은 각각 몇 개씩인지 구하시오.

풀이

답 _____

12 전체 쪽수가 125쪽인 동화책을 어제와 오늘 이틀 동안 모두 읽었습니다. 어제 읽은 쪽수가 오늘 읽은 쪽수보다 11쪽 더 많았다면, 어제와 오늘 읽은 쪽수를 각각 구하시오.

풀이

답 _____

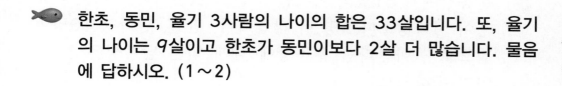

한초, 동민, 율기 3사람의 나이의 합은 33살입니다. 또, 율기의 나이는 9살이고 한초가 동민이보다 2살 더 많습니다. 물음에 답하시오. (1～2)

1 한초와 동민이의 나이의 합은 몇 살인지 구하시오.

 풀이

답 _____

(한초+동민)
=(한초+동민+율기)
-(율기)

2 한초와 동민이의 나이를 각각 구하시오.

 풀이

답 _____

한초와 동민이의 나이의 합과 차를 알아 표를 그려봅니다.

3 과일 가게에 사과, 배, 감이 모두 200개 있습니다. 사과는 60개이고, 배는 감보다 6개 더 많다면 배는 몇 개인지 구하시오.

풀이

답 _____

먼저 배와 감의 개수의 합을 구해야지요! 그다음? ➡ 표를 그려서 해결하세요.

4 운동장에서 81명의 학생들이 놀고 있습니다. 이 중 남학생이 여학생보다 5명 더 많습니다. 만일, 남학생 10명이 집으로 돌아간다면 운동장에 남게 되는 남학생은 몇 명인지 구하시오.

표를 그려서 운동장에서 놀고 있는 남학생 수를 먼저 알아보세요!

답 _____

5 문방구점에 필통과 크레파스가 모두 65개 있습니다. 이 중 필통이 크레파스보다 7개 더 많습니다. 만일, 크레파스가 8개 팔린다면 남는 크레파스는 몇 개인지 구하시오.

먼저 알아야 할 것은?
➡ 문방구점에 있는 크레파스 개수.

답 _____

6 49개의 사탕을 나누어 갖는 데 한솔이가 한별이보다 9개 적게 가졌습니다. 만일, 한솔이가 사탕을 5개 먹는다면 한솔이에게 남는 사탕은 몇 개인지 구하시오.

한별이가 9개 더 많이 가졌지요!

답 _____

1 소나무, 밤나무, 잣나무가 모두 100그루 있습니다. 소나무는 20그루이고, 밤나무는 잣나무보다 10그루 더 많습니다. 만일, 밤나무를 8그루 더 심는다면 밤나무는 몇 그루가 되는지 구하시오.

풀이 ▶

(밤나무+잣나무)
=100−(소나무)

답 _____

2 연필, 지우개, 공책이 모두 50개 있습니다. 연필은 10개이고, 지우개는 공책보다 6개 많습니다. 만일, 지우개를 5개 사용한다면 지우개는 몇 개가 남는지 구하시오.

풀이 ▶

(지우개+공책)
=50−(연필)

답 _____

3 빨간 풍선, 파란 풍선, 노란 풍선이 모두 58개 있습니다. 파란 풍선은 13개이고, 빨간 풍선은 노란 풍선보다 3개 더 적습니다. 만일, 노란 풍선 8개가 터진다면 노란 풍선은 몇 개가 남는지 구하시오.

풀이 ▶

(빨간 풍선+노란 풍선)
=58−(파란 풍선),
노란 풍선이 빨간 풍선
보다 3개 더 많네요~.

답 _____

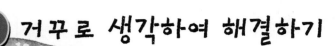

석기는 가지고 있던 사탕 중 32개를 동생에게 주고, 15개를 형에게 받았더니 185개가 되었습니다. 석기가 처음에 가지고 있던 사탕은 몇 개인지 구하시오.

풀이 처음 석기가 가지고 있던 사탕 수를 □라 하고, 문제를 그림으로 나타내면,

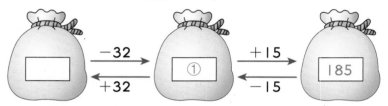

①＝185－15＝170이므로 석기가 형에게 받기 전 사탕의 개수는 170개이고, □＝170＋32＝202이므로 석기가 동생에게 주기 전 사탕의 개수는 202개입니다.

따라서, 석기가 처음에 가지고 있던 사탕은 202개입니다.

꼼꼼 돌다리

덧셈을 거꾸로 하면 뺄셈
뺄셈을 거꾸로 하면 덧셈

Check Point

주어진 결과로부터 거꾸로 계산하여 해결합니다.

확인 문제

율기는 어머니께서 주신 용돈으로 450원짜리 아이스크림 한 개와 100원짜리 사탕 한 개를 사 먹었습니다. 그 뒤 아버지께서 용돈 600원을 주셔서 율기가 가진 돈이 970원이 되었다면, 율기가 처음에 어머니께 받은 용돈은 얼마인지 구하시오.

1 어머니께서 주신 용돈을 알아보는 과정입니다. 빈 곳에 알맞은 수를 써 넣으시오.

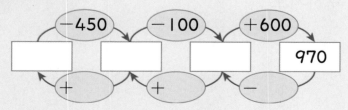

아버지께 용돈을 받기 전, 사탕 한 개를 사기 전, 아이스크림 한 개를 사기 전의 금액을 알아보세요.

2 율기가 처음에 어머니께 받은 용돈은 얼마인지 구하시오.

( )

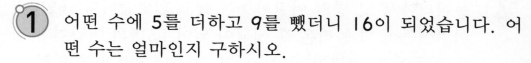

 생각의 샘

1 어떤 수에 5를 더하고 9를 뺐더니 16이 되었습니다. 어떤 수는 얼마인지 구하시오.

풀이

덧셈을 거꾸로 하면 뺄셈, 뺄셈을 거꾸로 하면 덧셈

답 _____

2 어떤 수에서 18을 빼고 20을 더했더니 51이 되었습니다. 어떤 수는 얼마인지 구하시오.

풀이

답 _____

3 어떤 수에 107을 더하고 89를 뺀 후, 15를 더한 수는 81입니다. 어떤 수는 얼마인지 구하시오.

풀이

주어진 결과로부터 거꾸로 계산하여 해결합니다.

답 _____

4 놀이터에서 몇 명의 어린이들이 놀고 있었습니다. 12명의 어린이들이 더 놀러온 후 저녁이 되어 15명의 어린이가 집으로 돌아가 18명이 남았습니다. 처음에 놀이터에 있던 어린이는 몇 명인지 구하시오.

처음에 놀이터에 있던 어린이 수를 ▲라 하면, ▲+12-15=18입니다.

답 _____

5 버스 안에 승객들이 몇 명 있었습니다. 이번 정류장에서 8명이 내리고, 12명이 더 타서 버스 안에 있는 사람은 35명이 되었습니다. 처음 버스에 있던 사람은 몇 명인지 구하시오.

(지금 버스 안에 있는 사람 수)
=(처음 버스에 타고 있던 사람 수)
-(내린 사람 수)
+(더 탄 사람 수)

답 _____

6 한초가 사탕 몇 개를 가지고 있었습니다. 영수에게 12개를 받고, 지혜에게 5개를 주었더니 사탕이 75개가 되었다면, 한초가 처음에 가지고 있던 사탕은 몇 개인지 구하시오.

답 _____

7 율기는 스티커 몇 장을 가지고 있었습니다. 한별이에게 18장을 받고, 가영이에게 24장을 주었더니 스티커가 39 장이 되었다면, 율기가 처음에 가지고 있던 스티커는 몇 장인지 구하시오.

풀이

덧셈을 거꾸로 하면 뺄셈, 뺄셈을 거꾸로 하면 덧셈입니다.

답 _____

8 제과점에서 아침에 빵을 24개 팔고, 점심에는 아침보다 15개 더 팔았습니다. 저녁에 19개의 빵을 더 만들어, 남은 빵이 51개가 되었다면, 처음에 빵은 몇 개 있었는지 구하시오.

풀이

(점심에 판 빵의 개수) =(아침에 판 빵의 개수)+15

답 _____

9 가영이는 어제와 오늘 동화책을 읽었습니다. 오늘 오전에 30쪽, 오후에 45쪽을 읽었더니 모두 105쪽까지 읽게 되었습니다. 가영이는 어제 몇 쪽까지 읽었는지 구하시오.

풀이

오늘 오전과 오후에 읽은 쪽수를 빼면 어제까지 읽은 쪽수를 구할 수 있습니다.

답 _____

10 어느 문방구점에서 지우개를 오전에는 24개 팔고, 오후에는 오전에 판 개수만큼 지우개를 들여왔더니 108개가 되었습니다. 처음에 있던 지우개는 몇 개인지 구하시오.

(오후에 들여온 지우개 수)
=(오전에 판 지우개 수)

답 _____

11 예슬이네 반 학급 문고에서 책 19권을 학생들에게 빌려 준 뒤, 35권을 새로 구입해 꽂았더니 156권이 되었습니다. 처음에 있던 예슬이네 반 학급 문고의 책은 몇 권이었는지 구하시오.

처음에 있었던 예슬이네 반 학급 문고의 책을 □권이라 하고 그림으로 나타내어 해결합니다.

답 _____

12 자동차 공장에서 첫째 날에 몇 대의 자동차를 만들고, 둘째 날에 170대의 자동차를 만들었습니다. 셋째 날에 160대를 더 만들어 3일 동안 만든 자동차가 모두 520대가 되었습니다. 첫째 날에 만든 자동차의 수는 몇 대인지 구하시오.

첫째 날에 만든 자동차 수를 □라 하여 식을 만듭니다.

답 _____

1 53에서 어떤 수를 빼고 17을 더했더니 27이 되었습니다. 어떤 수는 얼마인지 구하시오.

✏️ 풀이

어떤 수를 □라 하여 문제를 그림으로 나타내 봅니다.

답 _____

2 108에 25를 더하고 어떤 수를 뺐더니 69가 되었습니다. 어떤 수는 얼마인지 구하시오.

✏️ 풀이

답 _____

3 과수원에서 사과를 따서 7명에게 2상자씩 팔고, 5명에게 3상자씩 팔고 나니 모두 280상자가 남았습니다. 처음에 딴 사과는 몇 상자인지 구하시오.

✏️ 풀이

■ 명의 사람들에게
▲ 상자씩 팔면
(판 상자 수)
=▲ × ■ (개)

답 _____

4 지혜는 가지고 있던 초콜릿 중에서 동민이에게 **8**개를 주고, 남은 초콜릿 수만큼 더 샀더니 모두 **32**개가 되었습니다. 지혜가 처음에 가지고 있던 초콜릿은 몇 개인지 구하시오.

32=16+16

답_____

5 한별이는 매일 독서를 합니다. 둘째 날에는 첫째 날보다 **5**쪽 더 많이 읽었고, 셋째 날에는 둘째 날보다 **17**쪽 더 많은 **36**쪽을 읽었습니다. 한별이가 **3**일 동안 읽은 쪽수를 구하시오.

(둘째 날 읽은 쪽수)
=(첫째 날 읽은 쪽수)
 +5
(셋째 날 읽은 쪽수)
=(둘째 날 읽은 쪽수)
 +17

답_____

6 한초가 아침에 일어나서 **1**시간 동안 학교 갈 준비를 하고, **30**분 동안 버스를 타고 학교에 도착한 시각이 **8**시 **20**분입니다. 한초가 일어난 시각은 몇 시 몇 분인지 구하시오.

8시 20분부터 거꾸로 생각하여 풀어봅시다.

답_____

1 어떤 수에 17을 더한 뒤 45를 빼야 할 것을 잘못하여 더하였더니 105가 되었습니다. 바르게 계산한 값을 구하시오.

풀이 ▶

어떤 수를 먼저 구해봅니다.

답 _____

2 석기는 색 테이프로 선물을 포장하였습니다. 1개 포장하는데 70cm의 색 테이프가 필요한 선물을 5개 포장하고 나니 1m 50cm의 색 테이프가 남았습니다. 석기가 처음에 가지고 있던 색 테이프의 길이는 몇 m인지 구하시오.

풀이 ▶

1m=100cm

답 _____

3 영수는 가지고 있던 색종이의 4배만큼을 더 사고, 친구에게 8장을 주었더니 17장이 남았습니다. 영수가 처음에 가지고 있던 색종이는 몇 장인지 구하시오.

풀이 ▶

(친구에게 주기 전 영수가 가지고 있던 색종이 수)
=(영수가 처음에 가지고 있던 색종이 수)×5

답 _____

7 한쪽을 지워서 해결하기

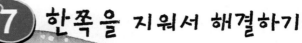

탐구 문제

사과 1개와 배 1개의 값은 600원이고, 같은 사과 2개와 배 1개의 값은 800원입니다. 사과 1개의 값은 얼마인지 구하시오.

✏️ 풀이 사과 1개와 배 1개는 사과 2개와 배 1개와의 관계에서 배의 수는 차이가 없으나 사과 1개만큼의 차이가 납니다. 이 때문에 총 가격의 차이는 800−600＝200(원)이 됩니다. 따라서, 사과 1개의 값은 200원입니다.

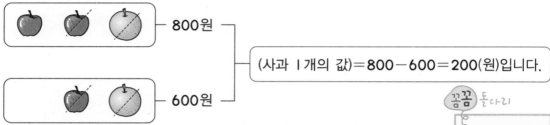

— 800원

— 600원

(사과 1개의 값)＝800−600＝200(원)입니다.

꼼꼼 돌다리

$$\begin{array}{r} 800 \\ -\ 600 \\ \hline 200 \end{array}$$

Check Point
같은 부분끼리 서로 없앤 뒤, 나머지끼리의 차를 이용하여 해결합니다.

확인 문제

빨간색 테이프 2개와 파란색 테이프 3개의 길이의 합은 1m 80cm이고, 같은 빨간색 테이프 4개와 파란색 테이프 3개의 길이의 합은 2m 90cm입니다. 빨간색 테이프 2개의 길이는 몇 m 몇 cm인지 구하시오.

1 빨간색 테이프 2개와 파란색 테이프 3개는 빨간색 테이프 4개와 파란색 테이프 3개와의 관계에서 어떤 차이가 있습니까?

(   )

2 □ 안에 알맞은 수를 써 넣으시오.

$$\begin{array}{r} 2\ \text{m}\quad 90\ \text{cm} \\ -\ 1\ \text{m}\quad 80\ \text{cm} \\ \hline \boxed{}\,\text{m}\ \boxed{}\,\text{cm} \end{array}$$

m는 m끼리,
cm는 cm끼리
계산하세요.

3 빨간색 테이프 2개의 길이는 몇 m 몇 cm입니까?

(   )

1 문방구점에서 영수는 색연필 2자루와 사인펜 2자루를 사고 640원을 냈고, 지혜는 같은 색연필 2자루와 사인펜 3자루를 사고 810원을 냈습니다. 사인펜 1자루의 값은 얼마인지 구하시오.

풀이▶

답 _____

영수와 지혜가 산 색연필과 사인펜이 어떤 차이가 있는지 알아봅니다.

2 주사위 3개와 구슬 1개의 값은 290원이고, 같은 주사위 3개와 구슬 2개의 값은 340원입니다. 구슬 1개의 값은 얼마인지 구하시오.

풀이▶

답 _____

주사위 ○, 구슬 ●
○○○● ➡ 290원
○○○●● ➡ 340원

3 파란 구슬 20개와 빨간 구슬 15개의 값은 480원이고, 같은 파란 구슬 19개와 빨간 구슬 15개의 값은 465원입니다. 파란 구슬 1개의 값은 얼마인지 구하시오.

풀이▶

답 _____

같은 부분끼리 서로 없앤 뒤, 나머지끼리의 차를 이용하여 해결합니다.

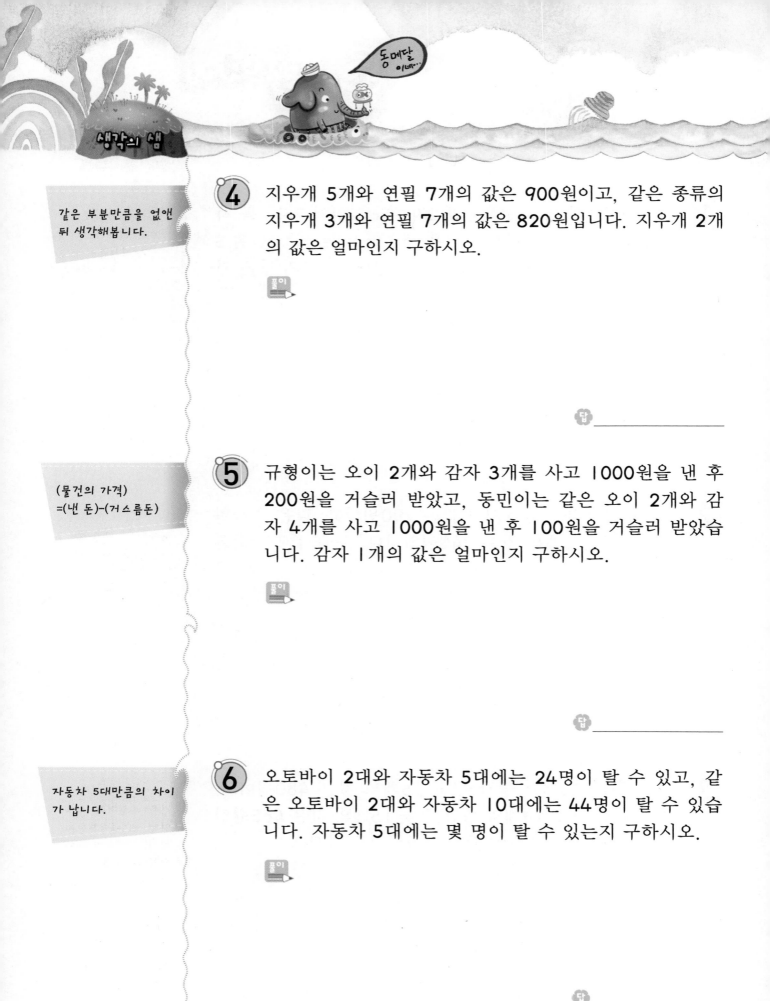

4

같은 부분만큼을 없앤
뒤 생각해봅니다.

지우개 5개와 연필 7개의 값은 900원이고, 같은 종류의
지우개 3개와 연필 7개의 값은 820원입니다. 지우개 2개
의 값은 얼마인지 구하시오.

풀이▶

답 _____

5

(물건의 가격)
=(낸 돈)-(거스름돈)

규형이는 오이 2개와 감자 3개를 사고 1000원을 낸 후
200원을 거슬러 받았고, 동민이는 같은 오이 2개와 감
자 4개를 사고 1000원을 낸 후 100원을 거슬러 받았습
니다. 감자 1개의 값은 얼마인지 구하시오.

풀이▶

답 _____

6

자동차 5대만큼의 차이
가 납니다.

오토바이 2대와 자동차 5대에는 24명이 탈 수 있고, 같
은 오토바이 2대와 자동차 10대에는 44명이 탈 수 있습
니다. 자동차 5대에는 몇 명이 탈 수 있는지 구하시오.

풀이▶

답 _____

7 작은 리본 4개와 큰 리본 5개를 만드는 데 5m 50cm의 끈이 필요하고, 작은 리본 2개와 큰 리본 3개를 만드는 데 3m 10cm의 끈이 필요합니다. 작은 리본 2개와 큰 리본 2개를 만드는 데 필요한 끈의 길이는 몇 m 몇 cm 인지 구하시오.

m는 m끼리, cm는 cm 끼리 계산합니다.

답 _____

8 감 1개와 키위 5개의 값은 560원이고, 같은 감 1개와 키위 10개의 값은 930원입니다. 키위 5개의 값은 얼마 인지 구하시오.

930－560=?

답 _____

9 장미 1송이를 색지로 포장한 값은 500원이고, 같은 장미 2송이를 색지로 포장한 값은 900원입니다. 색지만의 값은 얼마인지 구하시오.

(색지로 포장한 장미꽃의 값)
=(장미꽃의 값)
＋(색지의 값)

답 _____

생각의 샘

감자는 감자끼리, 고
구마는 고구마끼리
개수를 비교해봅니다.

10 석기네 밭에서는 채소를 수확하여 감자 2개와 고구마 1
개를 550원에 팔고, 같은 감자 4개와 고구마 1개를 950
원에 팔았습니다. 석기네 밭에서 수확한 고구마 1개의
값은 얼마인지 구하시오.

답 _____

빨간 스티커 1장의 값
을 먼저 알아냅니다.

11 빨간 스티커 3장과 파란 스티커 4장의 값은 890원이고,
같은 빨간 스티커 2장과 파란 스티커 4장의 값은 740원
입니다. 지혜가 빨간 스티커를 2장 사려면 얼마가 필요
한지 구하시오.

답 _____

12 공책 2권과 연필 3자루의 값은 900원이고, 같은 공책 2
권과 연필 2자루의 값은 800원입니다. 연필 3자루의 값
은 얼마인지 구하시오.

풀이

답 _____

1 색도화지 2장과 색 테이프 5m의 값은 650원이고, 같은 색도화지 2장과 색 테이프 8m의 값은 800원입니다. 색 테이프 9m의 값은 얼마인지 구하시오.

풀이

(색 테이프 9m의 값)
=(색 테이프 3m의 값)
+(색 테이프 3m의 값)
+(색 테이프 3m의 값)

답 _____

2 어느 박물관의 어린이 2명과 어른 1명의 입장료는 750원이고, 어린이 1명과 어른 1명의 입장료는 550원입니다. 어린이 4명의 입장료는 얼마인지 구하시오.

풀이

어린이 4명의 입장료는 어린이 1명의 입장료를 4번 더한 것과 같습니다.

답 _____

3 사과 1개, 배 1개, 자두 1개를 담은 바구니 1개의 값은 590원이고, 같은 바구니에 사과 2개, 배 2개, 자두 2개를 담으면 980원입니다. 바구니만의 값은 얼마인지 구하시오.

풀이

(과일 바구니의 값)
=(과일의 값)
+(바구니의 값)

답 _____

생각의 샘

연필 20자루는 연필 4자루씩 5묶음과 같습니다.

4 연필 5자루와 지우개 1개, 샤프심 1통의 값은 750원이고, 같은 연필 1자루와 지우개 1개, 샤프심 1통의 값은 590원입니다. 연필 20자루의 값은 얼마인지 구하시오.

답 _____

먼저 우표의 값을 구하고, 그림 엽서 2장의 값을 알아봅니다.

5 그림 엽서 2장과 우표 3장의 값은 690원이고, 같은 그림 엽서 2장과 우표 4장의 값은 840원입니다. 그림 엽서 2장의 값은 얼마인지 구하시오.

답 _____

(단팥빵 5개의 값)
=(크림빵 1개와 단팥빵 5개의 값)
-(크림빵 1개의 값)

6 크림빵 1개와 단팥빵 5개의 값은 850원이고, 같은 크림빵 2개와 단팥빵 5개의 값은 950원입니다. 단팥빵 5개의 값은 얼마인지 구하시오.

답 _____

1 자두 1개와 복숭아 1개의 값은 450원이고, 같은 자두 2개와 복숭아 1개의 값은 600원입니다. 복숭아 1개의 값은 얼마인지 구하시오.

자두 1개의 값을 먼저 구합니다.

풀이 ▶

답 _____

2 A 방에는 둥근 탁자 3개와 네모난 탁자 2개가 놓여 있고, B 방에는 같은 종류의 둥근 탁자 4개와 네모난 탁자 5개가 놓여 있습니다. 둥근 탁자에는 의자를 4개씩 놓고, 네모난 탁자에는 의자를 9개씩 놓는다면 어느 방에 몇 개의 의자를 더 놓아야 하는지 구하시오.

둥근 탁자 ●개
➡ 의자 (4×●)개
네모난 탁자 ■개
➡ 의자 (9×■)개

풀이 ▶

답 _____

3 연필 2자루와 지우개 3개의 값은 600원이고, 같은 연필 1자루와 지우개 1개의 값은 250원입니다. 지우개 5개의 값은 얼마인지 구하시오.

연필 2자루와 지우개 2개의 값은 250+250=500(원)입니다.

풀이 ▶

답 _____

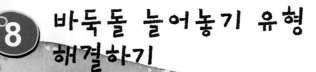

8 바둑돌 늘어놓기 유형 해결하기

 탐구문제

오른쪽 그림과 같이 바둑돌을 빈틈없이 늘어놓았습니다. 물음에 답하시오.

(1) 바둑돌은 모두 몇 개인지 구하시오.
(2) 둘레에 놓인 바둑돌은 몇 개인지 구하시오.

풀이 (1) 오른쪽 그림과 같이 가로로 묶으면 5개씩 5묶음이므로 바둑돌은 모두 $5 \times 5 = 25$(개)입니다.

(2) 오른쪽 그림과 같이 둘레에 놓인 바둑돌을 똑같이 4묶음으로 나누면 둘레에 놓인 바둑돌의 개수는 $(5-1) \times 4 = 16$(개)입니다.

Check Point

- (전체 바둑돌의 개수)
  =(가로에 놓인 바둑돌의 개수)×(세로에 놓인 바둑돌의 개수)
- 가로와 세로에 놓인 바둑돌의 개수가 같을 때
  (둘레에 놓인 바둑돌의 개수)
  ={(한 변에 놓인 바둑돌의 개수)-1}×4

꼼꼼 돌다리

●씩 ▲묶음
➡ ●+●+⋯+●
　　　　▲개
➡ ●×▲

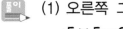 **확인문제**

다음 그림과 같이 크기가 같은 구슬을 가로와 세로 모두 8개씩 빈틈없이 늘어놓았습니다. 물음에 답하시오.

1 구슬은 모두 몇 개인지 곱셈식을 세워 구하시오.

(　　　　　　　　　)

2 둘레에 놓인 구슬을 똑같이 4묶음으로 나누면 한 묶음에는 몇 개의 구슬이 있습니까?

(　　　　　　　　　)

3 둘레에 놓인 구슬의 개수는 몇 개인지 구하시오.

(　　　　　　　　　)

1 오른쪽 그림과 같이 바둑돌을 가로와 세로 모두 **7**개씩 빈틈없이 늘어놓았습니다. 바둑돌은 모두 몇 개인지 구하시오.

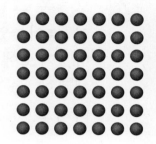

바둑돌을 가로로 7개씩 묶으면 몇 묶음이 되는지 알아봅니다.

 답 _____

2 크기가 같은 구슬을 가로와 세로 모두 **6**개씩 빈틈없이 늘어놓아 오른쪽과 같은 모양을 만들었습니다. 구슬은 모두 몇 개인지 구하시오.

답 _____

3 크기가 같은 바둑돌을 가로로 **3**개, 세로로 **6**개씩 빈틈없이 늘어놓아 오른쪽과 같은 모양을 만들었습니다. 바둑돌은 모두 몇 개인지 구하시오.

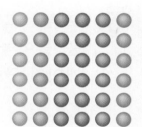

바둑돌을 가로로 3개씩 또는 세로로 6개씩 묶어 봅니다.

답 _____

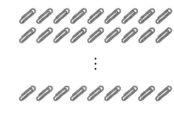

4 오른쪽 그림과 같이 클립을 빈틈없이 늘어놓았더니 모두 **63**개였습니다. 가로에 놓인 클립이 **9**개라면, 세로에 놓인 클립은 몇 개인지 구하시오.

(가로에 놓인 클립 수)
×(세로에 놓인 클립 수)
=63

풀이 ▶

답 _____

5 오른쪽 그림과 같이 크기가 같은 콩을 늘어놓았습니다. 콩은 모두 몇 개인지 구하시오.

여러 가지 방법으로 문제를 해결해 봅니다.
① 가로로 묶어 보기
② 세로로 묶어 보기
③ 전체에서 비어 있는 부분 빼기

풀이 ▶

답 _____

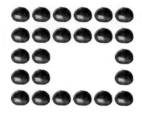

6 오른쪽 그림과 같이 크기가 같은 밤을 늘어놓았습니다. 밤은 모두 몇 개인지 구하시오.

밤의 개수를 구하는 방법에는 여러 가지가 있습니다.

풀이 ▶

답 _____

7 크기가 같은 지우개를 늘어놓아 오른쪽 그림과 같은 모양을 만들었습니다. 지우개는 모두 몇 개인지 식을 세워 구하시오.

풀이

답 _____

8 바둑돌을 가로와 세로 모두 6개씩 빈틈없이 늘어놓아 오른쪽과 같은 모양을 만들었습니다. 둘레에 놓인 바둑돌은 몇 개인지 구하시오.

풀이

둘레에 놓인 바둑돌을 똑같이 4묶음으로 묶으면, 한 묶음에는 바둑돌이 몇 개가 되는지 알아봅니다.

답 _____

9 10원짜리 동전을 오른쪽 그림과 같이 가로와 세로 모두 7개씩 빈틈없이 늘어놓았습니다. 둘레에 놓인 동전은 몇 개인지 구하시오.

풀이

답 _____

10 크기가 같은 스티커를 가로와 세로 모두 **9**장씩 빈틈없이 늘어놓아 오른쪽과 같은 모양을 만들었습니다. 둘레에 놓인 스티커는 몇 장인지 구하시오.

풀이

답 _____

같은 수끼리 곱하여 25가 되는 수를 찾아 봅니다.

11 오른쪽 그림과 같이 가로와 세로에 놓인 바둑돌의 개수가 같게 바둑돌을 빈틈없이 늘어놓았습니다. 전체 바둑돌의 개수가 **25**개일 때, 가장 바깥쪽의 가로에 놓인 바둑돌은 몇 개인지 구하시오.

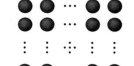

풀이

답 _____

같은 수끼리 곱하여 64가 되는 수를 찾아 봅니다.

12 위 **11**번과 같은 방법으로 바둑돌을 늘어놓았습니다. 전체 바둑돌의 개수가 **64**개라면, 가장 바깥쪽의 세로에 놓인 바둑돌은 몇 개인지 구하시오.

풀이

답 _____

1 크기가 같은 우표를 늘어놓아 오른쪽 그림과 같은 모양을 만들었습니다. 우표는 모두 몇 장인지 구하시오.

풀이▶

여러 부분으로 나누어 우표의 수를 구해 봅니다.

답_____

2 오른쪽 그림과 같이 가로와 세로에 놓인 호두의 개수가 같게 호두를 빈틈없이 늘어놓았습니다. 전체 호두가 49개라면, 둘레에 놓인 호두는 몇 개인지 구하시오.

풀이▶

●씩 ●묶음이 49가 되는 ●를 찾습니다.

답_____

3 크기가 같은 구슬을 가로로 10개, 세로로 5개씩 빈틈없이 늘어놓아 다음과 같은 모양을 만들었습니다. 둘레에 놓인 구슬은 몇 개인지 구하시오.

풀이▶

가로와 세로에 놓인 구슬의 개수가 다를 때 둘레에 놓인 구슬의 개수는 (가로에 놓인 구슬의 개수-1)과 (세로에 놓인 구슬의 개수-1)을 각각 2배 한 후 더하여 구합니다.

답_____

다음과 같이 가로와 세로에 놓인 바둑돌의 개수가 같게 바둑돌을 빈틈없이 늘어놓았습니다. 물음에 답하시오. (4~6)

4 둘레에 놓인 바둑돌의 개수가 36개라면, 가장 바깥쪽의 한 변에 놓인 바둑돌은 몇 개인지 구하시오.

(둘레에 놓인 바둑돌의 개수)
={(한 변에 놓인 바둑돌의 개수)-1}×4

답 _____

5 위 4번에서 전체 바둑돌은 모두 몇 개인지 구하시오.

4번에서 구한 가로와 세로에 놓인 바둑돌의 개수를 이용하여 구합니다.

답 _____

6 전체 바둑돌의 개수가 81개라면, 둘레에 놓인 바둑돌은 몇 개인지 구하시오.

같은 수끼리 곱하여 81이 되는 수를 먼저 찾아봅니다.

답 _____

1 오른쪽 그림과 같이 50원짜리 동전을 가로와 세로 모두 5개씩 빈틈없이 늘어놓았습니다. 둘레에 놓인 동전의 금액은 얼마인지 구하시오.

풀이▶

50원짜리가 1개 : 50원
50원짜리가 2개 : 100원
50원짜리가 3개 : 150원
50원짜리가 4개 : 200원
⋮

답 _____

2 가로와 세로에 모두 10원짜리 동전을 7개씩 빈틈없이 늘어놓아 오른쪽과 같은 모양을 만들었습니다. 이 모양의 둘레에 동전을 더 놓아 한 번 둘러싸려고 할 때, 필요한 돈은 얼마인지 구하시오.

풀이▶

둘레를 한 번 둘러싸면 가로와 세로에 놓인 바둑돌은 각각 2개씩 늘어납니다.

답 _____

3 오른쪽 그림과 같이 크기가 같은 카드를 늘어놓았습니다. 가로에 놓인 카드는 세로에 놓인 카드의 수보다 1장 더 많고, 전체 카드의 수가 20장이라면, 둘레에 놓인 카드는 몇 장인지 구하시오.

풀이▶

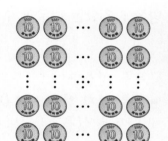

곱이 20인 두 수를 먼저 찾아봅니다.

답 _____

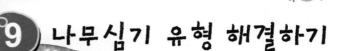

탐구 문제

길이가 40m인 길에 5m 간격으로 나무를 심으려고 합니다. 길의 처음과 끝에도 나무를 심는다고 할 때, 물음에 답하시오.

(1) 길의 한쪽에만 심는다면 나무는 몇 그루가 필요한지 구하시오.

(2) 길의 양쪽에 모두 심는다면 나무는 몇 그루가 필요한지 구하시오.

풀이 (1) 5×8=40에서 간격의 수가 8개이므로 필요한 나무의 수는 8+1=9(그루)입니다.

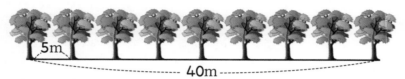

꼼꼼 돌다리

(전체 길이)
=(간격의 길이)
×(간격의 수)

(2) 길의 양쪽에 필요한 나무의 수는 9×2=18(그루)입니다.

Check Point

• 처음과 끝에 나무를 심을 때 : (나무의 수)=(간격의 수)+1
• 처음과 끝에 나무를 심지 않을 때 : (나무의 수)=(간격의 수)-1
• 둥근 연못 등에 나무를 심을 때 : (나무의 수)=(간격의 수)

확인 문제

길이가 32m인 도로의 양쪽에 8m 간격으로 나무를 심으려고 합니다. 나무는 모두 몇 그루가 필요한지 구하시오. (단, 도로의 처음과 끝에도 나무를 심습니다.)

1 간격의 수를 구하시오.

(   )

2 도로 한쪽에 심을 나무는 몇 그루인지 구하시오.

(   )

(나무의 수)
=(간격의 수)+1

3 도로 양쪽에 심을 나무는 몇 그루인지 구하시오.

(   )

1 길이가 48m 되는 길의 한쪽에 6m 간격으로 은행나무를 심으려고 합니다. 길의 처음과 끝에도 은행나무를 심는다고 할 때, 은행나무는 몇 그루가 필요한지 구하시오.

풀이▶

답_____

2 신영이는 운동장에 선을 그리고 처음부터 3m 간격으로 깃발을 10개 꽂았습니다. 선의 끝에도 깃발을 꽂았다면, 선의 길이는 몇 m인지 구하시오.

풀이▶

깃발의 수는 간격의 수보다 1개 더 많습니다.

답_____

3 길이가 28cm인 선분 위에 4cm 간격으로 점을 찍으려고 합니다. 선분의 처음과 끝에도 점을 찍는다고 할 때, 점은 몇 번 찍어야 하는지 구하시오.

풀이▶

선분의 처음과 끝에도 점을 찍습니다.
(점의 수)
=(간격의 수)+1

답_____

가로등의 수와 간격
의 수의 관계를 생각
해 봅니다.

4 길이가 42m인 도로 한쪽에 가로등이 8개 세워져 있습니다. 도로의 처음과 끝에도 가로등이 세워져 있고, 가로등 사이의 간격이 모두 같을 때, 가로등은 몇 m 간격으로 세운 것인지 구하시오.

답 _____

5 폭이 48m인 냇가에 돌멩이가 6m 간격으로 놓여져 있습니다. 돌멩이는 몇 개인지 구하시오. (단, 처음과 끝에는 돌멩이를 놓지 않습니다.)

답 _____

고무줄의 처음과 끝은
자르지 않습니다.

6 길이가 20cm인 고무줄이 있습니다. 이 고무줄을 잘라 5cm짜리 고무줄을 여러 개 만들려고 합니다. 고무줄을 몇 번 잘라야 하는지 구하시오.

답 _____

7 길이가 49m인 길이 있습니다. 이 도로의 한쪽에 7m 간격으로 나무를 심으려고 합니다. 도로의 처음과 끝에는 나무를 심지 않는다고 할 때, 나무는 몇 그루 필요한지 구하시오.

답 _____

8 석기네 집에서 학교까지의 거리는 72m입니다. 집에서부터 학교 사이에는 전봇대가 8m 간격으로 세워져 있을 때, 전봇대는 몇 개인지 구하시오. (단, 석기네 집 앞과 학교 앞에는 전봇대가 없습니다.)

답 _____

9 둘레가 54m인 연못을 따라 9m 간격으로 돌멩이를 놓으려고 합니다. 필요한 돌멩이는 몇 개인지 구하시오.

둥근 연못에 돌멩이를 놓을 때, 돌멩이 수와 간격의 수는 같습니다.

답 _____

(간격의 수)
=(나무의 수)

10 둘레가 63m인 연못을 따라 나무를 7그루 심었습니다. 나무와 나무 사이의 간격은 몇 m인지 구하시오.

답 _____

(농장의 둘레)
=(간격의 길이)
 ×(간격의 수)

11 둥근 농장의 둘레를 따라 8m 간격으로 소나무가 심어져 있습니다. 소나무가 9그루일 때, 농장의 둘레는 몇 m인지 구하시오.

풀이

답 _____

12 둘레의 길이가 45m인 원 모양의 게시판을 만들고, 원의 둘레에 5m 간격으로 꽃 스티커를 붙이려고 합니다. 꽃 스티커는 몇 장 필요한지 구하시오.

풀이

답 _____

1 길이가 64m인 도로가 있습니다. 이 도로 양쪽에 8m 간격으로 나무를 심으려고 합니다. 도로의 처음과 끝에는 나무를 심지 않는다고 할 때, 나무는 모두 몇 그루가 필요한지 구하시오.

도로의 처음과 끝에 나무를 심지 않을 때 (나무의 수) =(간격의 수)-1

답 _____

2 동민이가 집에서부터 농장 사이에 있는 말뚝의 수를 세어 보니 8개였습니다. 말뚝과 말뚝 사이의 간격이 4m라면, 집에서 농장까지의 거리는 몇 m인지 구하시오. (단, 동민이네 집 앞과 농장 앞에는 말뚝이 없습니다.)

답 _____

3 색 테이프로 둘레의 길이가 36cm인 원 모양을 만들고, 6cm 간격으로 스티커를 붙이려고 합니다. 준비한 스티커가 10장이라면, 스티커는 몇 장 남는지 구하시오.

풀이 ▶

원 둘레에 붙이는 스티커의 수를 구해 봅니다.

답 _____

(통나무의 수)
=(통나무를 자른 횟수)
+1

4 길이가 5m인 통나무가 있습니다. 이 통나무를 9번 잘라 길이가 같은 통나무를 여러 개 만들려고 합니다. 통나무를 몇 cm 간격으로 잘라야 하는지 구하시오.

풀이▶

답 _____

68=34+34에서 철길의 한쪽에 심은 목련나무의 수를 알 수 있습니다.

5 길이가 35m인 철길의 양쪽에 목련나무를 68그루 심었습니다. 철길의 처음과 끝에는 목련나무를 심지 않았다면, 목련나무를 몇 cm 간격으로 심은 것인지 구하시오.

풀이▶

답 _____

(처음 끈의 길이)
=(원의 둘레의 길이)
+(남은 끈의 길이)

6 어떤 끈으로 원을 만들었더니 15cm가 남았습니다. 원의 둘레에는 12cm 간격으로 점이 10개 찍혀 있다면, 처음 끈의 길이는 몇 cm인지 구하시오.

풀이▶

답 _____

1 가로의 길이가 8cm인 색 테이프 10장을 2cm씩 겹쳐 길게 이었습니다. 이은 색 테이프의 전체 길이는 몇 cm인지 구하시오.

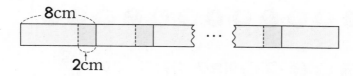

풀이

답 _____

2 오른쪽 그림과 같이 가로가 30cm, 세로가 50cm인 사각형 모양의 종이의 둘레에 10cm 간격으로 압정을 꽂으려고 합니다. 네 꼭지점에 반드시 압정을 꽂는다면, 몇 개의 압정이 필요한지 구하시오.

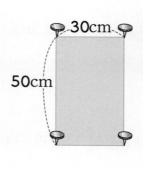

풀이

답 _____

3 오른쪽 그림과 같이 가로가 77cm인 도화지에 가로가 7cm인 색종이를 한 줄로 붙이려고 합니다. 도화지와 색종이 사이, 색종이와 색종이 사이의 간격을 모두 같게 하여 색종이를 6장 붙이려면 간격을 몇 cm로 해야 하는지 구하시오.

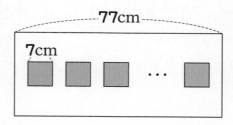

풀이

답 _____

⑩ 규칙적으로 반복되는 유형 해결하기

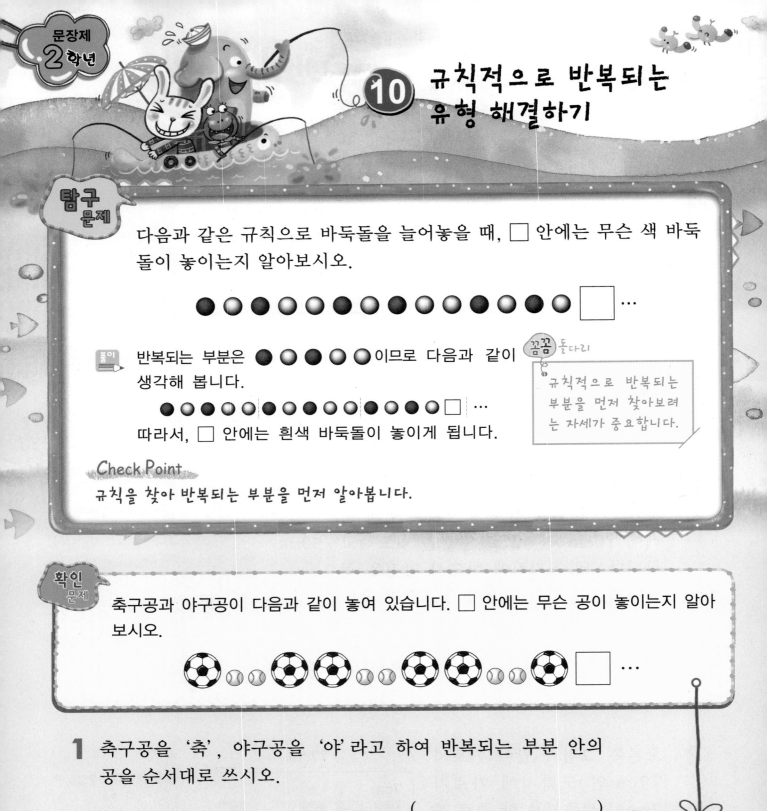

탐구문제

다음과 같은 규칙으로 바둑돌을 늘어놓을 때, □ 안에는 무슨 색 바둑돌이 놓이는지 알아보시오.

● ○ ● ○ ● ○ ● ○ ● ○ ● ○ ● ○ □ …

풀이 반복되는 부분은 ● ○ ● ○ 이므로 다음과 같이 생각해 봅니다.

● ● ● ● ○ ○ ○ ○ ● ● ● ● ○ ○ ○ □ …

따라서, □ 안에는 흰색 바둑돌이 놓이게 됩니다.

꼼꼼 돌다리

> 규칙적으로 반복되는 부분을 먼저 찾아보려는 자세가 중요합니다.

Check Point

규칙을 찾아 반복되는 부분을 먼저 알아봅니다.

확인문제

축구공과 야구공이 다음과 같이 놓여 있습니다. □ 안에는 무슨 공이 놓이는지 알아보시오.

⚽ ⚾ ⚾ ⚽ ⚽ ⚾ ⚾ ⚽ ⚽ ⚾ ⚾ ⚽ □ …

1 축구공을 '축', 야구공을 '야' 라고 하여 반복되는 부분 안의 공을 순서대로 쓰시오.

( )

> 반복되는 부분으로 묶으면 □만 남게 되요.

2 □ 안에는 무슨 공이 놓이게 됩니까?

( )

① 영수는 다음과 같이 모둠 친구들의 이름을 써 보았습니다. 규칙을 찾아 ( ) 안에 들어갈 친구의 이름을 쓰시오.

> 한초, 지혜, 동민, 한초, 지혜, 동민, 한초, 지혜, 동민,
> 한초, (   ) …

풀이▷

답 _____

② 다음은 가영이와 친구들이 규칙에 따라 동물의 이름을 말한 것입니다. ( ) 안에는 어떤 동물이 오는지 쓰시오.

> 닭, 토끼, 코끼리, 호랑이, 닭, 토끼, 코끼리, 호랑이, 닭,
> 토끼, (   ) …

풀이▷

답 _____

③ 다음과 같은 규칙으로 알파벳 A자를 늘어놓았습니다. □ 안에 들어갈 알맞은 모양을 그리시오.

A ◁ ▽ ▷ A ◁ ▽ ▷ A □ …

풀이▷

답 _____

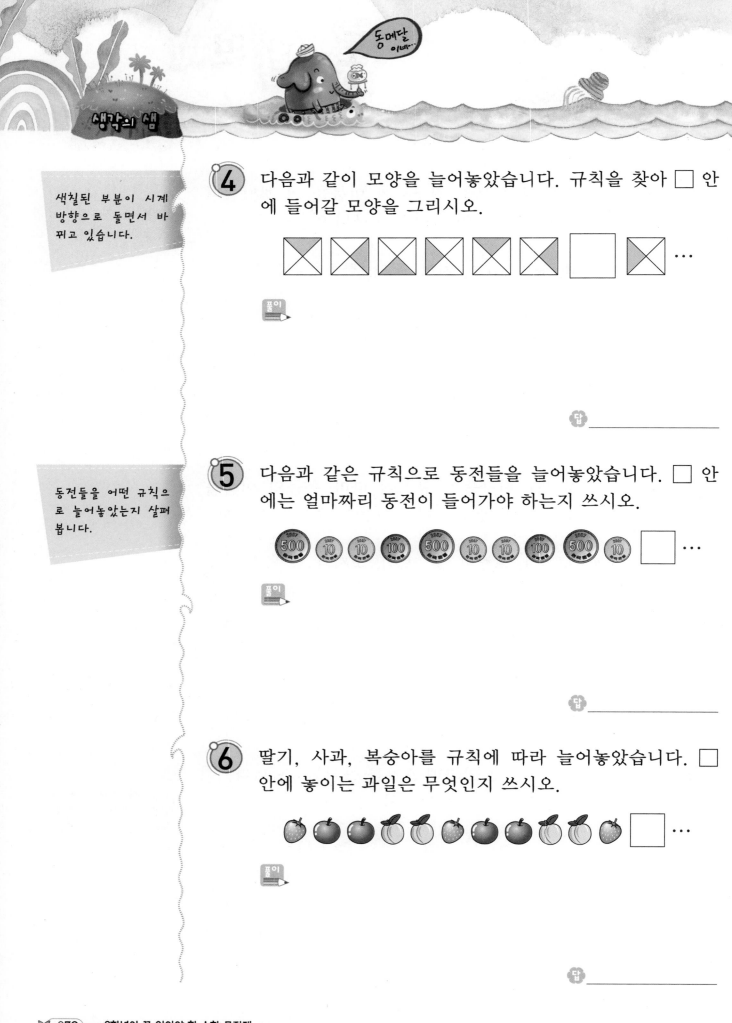

7 다음과 같이 수를 늘어놓았습니다. 규칙을 찾아 ☐ 안에는 어떤 수가 오는지 쓰시오.

1, 1, 3, 3, 5, 5, 1, 1, 3, 3, 5, 5, 1, 1, 3, ☐ …

풀이 ▶

답 ＿＿＿＿＿＿＿＿＿

8 용희는 다음과 같은 규칙으로 점을 찍어 모양을 그려나갔습니다. 용희가 ☐ 안에 그려야 하는 모양은 어떤 모양인지 그리시오.

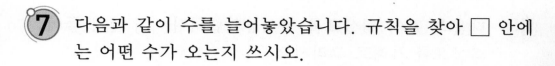

풀이 ▶

답 ＿＿＿＿＿＿＿＿＿

9 다음과 같이 규칙에 따라 바둑돌을 놓았습니다. ☐ 안에는 어떤 모양으로 바둑돌을 놓아야 하는지 그리시오.

풀이 ▶

답 ＿＿＿＿＿＿＿＿＿

10 다음과 같이 화살표를 늘어놓았습니다. ☐ 안에 들어갈 화살표를 차례로 그리시오.

화살표가 위쪽, 오른쪽, 아래쪽, 왼쪽을 가리키고 있습니다.

답 _____

11 어느 달의 **3**일은 수요일입니다. 이 날부터 **22**일 후는 무슨 요일인지 구하시오.

같은 요일은 일 주일 즉, 7일마다 반복됩니다.

답 _____

12 어느 해의 **4**월 **5**일은 월요일입니다. 이 해의 **4**월 **30**일은 무슨 요일인지 구하시오.

답 _____

1 다음과 같은 규칙으로 모양을 만들어 나갈 때, ☐ 안에 들어갈 모양을 차례로 그리시오.

☆◆★★◇☆☆◆★★◇☐☆◆★★☐☆…

☆, ◆, ☆, ◇을 어떤 규칙으로 늘어놓았는지 살펴봅니다.

풀이▶

답 _____

2 다음과 같이 규칙적으로 모양을 늘어놓았습니다. 16째 번에는 어떤 모양이 놓이는지 그리시오.

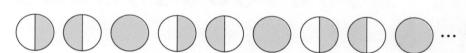

16째 번까지의 모양을 반복되는 부분으로 묶어 봅니다.

풀이▶

답 _____

3 다음과 같이 규칙적으로 바둑돌을 늘어놓았습니다. 20째 번에는 무슨 색 바둑돌이 놓이는지 알아보시오.

20째 번까지의 바둑돌을 반복되는 바둑돌의 개수로 묶어 봅니다.

풀이▶

답 _____

4 동민이의 생일은 7월 28일입니다. 올해 동민이의 생일이 토요일이라면, 이 해의 9월 2일은 무슨 요일인지 구하시오.

답 _____

반복되는 부분 안에 흰 바둑돌이 몇 개 있는지 알아봅니다.

5 다음과 같은 규칙으로 바둑돌이 24개 놓여 있습니다. 이 중에서 흰 바둑돌은 몇 개인지 구하시오.

●○○●●○○●○●○●○●○●●○ …

답 _____

한 묶음 안에 원이 몇 개 있는지 알아봅니다.

6 다음과 같이 도형을 규칙적으로 늘어놓았습니다. 23개를 늘어놓았을 때, 원은 몇 개 있는지 구하시오.

답 _____

1 다음과 같은 규칙으로 색종이를 늘어놓았습니다. 22째 번과 25째 번 색종이는 무슨 색인지 차례로 색깔을 쓰시오.

반복되는 색을 살펴봅니다.

풀이

답 _____

2 다음과 같이 수를 규칙적으로 늘어놓았습니다. 30째 번까지의 수들의 합은 얼마인지 구하시오.

반복되는 부분 안에 있는 수들의 합을 알아야 합니다.

1, 2, 1, 3, 3, 1, 2, 1, 3, 3, 1, 2, 1, 3, …

풀이

답 _____

3 다음과 같은 규칙으로 빨간색 구슬과 초록색 구슬이 놓여 있습니다. 12째 번 모양까지의 빨간색 구슬과 초록색 구슬의 개수의 차를 구하시오.

반복되는 부분 안의 빨간색 구슬과 초록색 구슬의 개수의 차를 먼저 구해 봅니다.

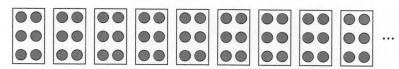

답 _____

총괄 평가

1 동민이네 양계장에서는 어제 달걀을 185개 생산하였고, 오늘은 어제보다 267개 더 생산하였습니다. 오늘 생산한 달걀은 몇 개인지 구하시오.

풀이▶

답_____

2 다음 세 장의 숫자 카드 중 두 장을 뽑아 만들 수 있는 두 자리 수 중 가장 큰 수와 가장 작은 수의 합은 얼마인지 구하시오.

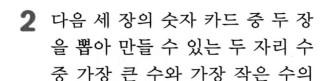

풀이▶

답_____

3 1년 동안 예슬이는 빈 병 399개를 모았고, 가영이는 456개를 모았습니다. 가영이는 예슬이보다 빈 병을 몇 개 더 모았는지 구하시오.

풀이▶

답_____

4 다음 뺄셈식의 ☐ 안에는 모두 같은 숫자가 들어갑니다. ☐ 안에 알맞은 숫자는 무엇인지 구하시오.

$$
\begin{array}{r}
9\ \square\ 6 \\
-\ 2\ 3\ \square \\
\hline
7\ 0\ \square
\end{array}
$$

풀이▶

답_____

5 동물원에 사자가 4마리 있습니다. 사자의 다리는 모두 몇 개인지 구하시오.

답 _____

6 사탕이 7개씩 들어 있는 봉지가 8봉지 있습니다. 사탕은 모두 몇 개인지 구하시오.

답 _____

7 석기는 연필을 4다스 가지고 있었습니다. 이 중 19자루를 사용한 뒤, 다시 3다스를 더 사왔습니다. 사용하지 않은 연필은 모두 몇 자루인지 구하시오.

답 _____

8 보기와 같이 계산할 때, ☐ 안에 알맞은 수를 구하시오.

보기
⑦☆⑭＝⑦－(⑭×5)
예 37☆4＝37－(4×5)＝17

398☆7＝☐

답 _____

9 신영이와 한솔이가 가지고 있는 돈은 모두 4000원입니다. 신영이가 한솔이보다 600원 더 가지고 있다면, 한솔이는 얼마를 가지고 있는지 구하시오.

답 _____

10 장미와 튤립이 모두 44송이 있습니다. 튤립이 장미보다 4송이 적다면, 튤립은 몇 송이인지 구하시오.

답 _____

11 율기는 스티커 몇 장을 가지고 있었습니다. 한별이에게 20장을 받고, 가영이에게 17장을 주었더니 스티커가 105장이 되었습니다. 율기가 처음에 가지고 있던 스티커는 몇 장인지 구하시오.

답 _____

12 과수원에서 사과를 따 와 9명에게 3상자씩 팔고, 6명에게 4상자씩 팔고 나니 모두 160상자가 남았습니다. 처음에 딴 사과는 몇 상자인지 구하시오.

답 _____

13 빨간 구슬 9개와 파란 구슬 12개
의 값은 660원이고, 같은 빨간
구슬 9개와 파란 구슬 13개의 값
은 680원입니다. 파란 구슬 1개
의 값은 얼마인지 구하시오.

풀이▶

답 _____

14 장미 2송이를 색지로 포장한 값
은 650원이고, 같은 장미 3송이
를 색지로 포장한 값은 950원입
니다. 색지만의 값은 얼마인지
구하시오.

풀이▶

답 _____

15 오른쪽 그림과 같
이 바둑돌을 가로
와 세로 모두 5개
씩 빈틈없이 늘어
놓았습니다. 바둑돌은 모두 몇
개인지 구하시오.

풀이▶

답 _____

16 크기가 같은 스티커를 가로와 세
로 모두 8장씩 빈틈없이 늘어놓
아 다음과 같은 모양을 만들었습
니다. 둘레에 놓인 스티커는 몇
장인지 구하시오.

풀이▶

답 _____

17 길이가 28m 되는 길의 한쪽에 4m 간격으로 나무를 심으려고 합니다. 길의 처음과 끝에도 나무를 심는다고 할 때, 나무는 몇 그루가 필요한지 구하시오.

풀이▷

답 _____

18 길이가 32cm인 고무줄이 있습니다. 이 고무줄을 잘라 8cm짜리 고무줄을 여러 개 만들려고 합니다. 고무줄을 몇 번 잘라야 하는지 구하시오.

풀이▷

답 _____

19 다음과 같이 수를 늘어놓았습니다. 규칙을 찾아 □ 안에는 어떤 수가 들어가는지 쓰시오.

2, 3, 5, 7, 11, 2, 3, 5, 7, 11, 2, 3, 5, 7, □ …

풀이▷

답 _____

20 다음과 같이 규칙적으로 바둑돌을 늘어놓았습니다. 14째 번에는 무슨 색 바둑돌이 놓이는지 알아보시오.

●○●●○●●○●●○●●○●…

풀이▷

답 _____

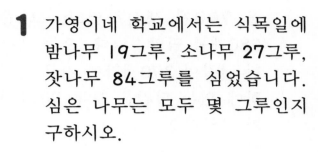

1 가영이네 학교에서는 식목일에 밤나무 19그루, 소나무 27그루, 잣나무 84그루를 심었습니다. 심은 나무는 모두 몇 그루인지 구하시오.

풀이 ▶

답 _____

2 과일 가게에 사과, 감, 배가 있습니다. 사과는 187개 있고, 감은 사과보다 54개 더 많고, 배는 감보다 23개 더 많습니다. 배는 몇 개인지 구하시오.

풀이 ▶

답 _____

3 장난감 공장에서 지난 달에 539개의 장난감을 만들었고, 이번 달에는 723개의 장난감을 만들었습니다. 이번 달은 지난 달보다 몇 개의 장난감을 더 만들었는지 구하시오.

풀이 ▶

답 _____

4 동민이는 철사를 721cm 가지고 있었습니다. 이 중 437cm는 호랑이 모양을 만드는 데 사용하고, 89cm는 토끼 모양을 만드는 데 사용하였습니다. 남은 철사는 몇 cm인지 구하시오.

풀이 ▶

답 _____

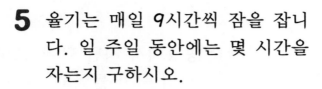
5 율기는 매일 **9**시간씩 잠을 잡니다. 일 주일 동안에는 몇 시간을 자는지 구하시오.

 풀이

답 _____

6 석기 동생의 나이는 **6**살이고, 석기의 나이는 동생 나이의 **3**배입니다. 석기 나이의 **2**배가 삼촌의 나이라면 삼촌의 나이는 몇 살인지 구하시오.

풀이

답 _____

7 예슬이네 양계장에서 어제 달걀을 **700**개 생산하였고, 그 중 **280**개를 팔았습니다. 오늘 생산한 달걀이 **390**개라면 지금 양계장에 있는 달걀은 모두 몇 개인지 구하시오.

 풀이

답 _____

8 율기네 학교의 **2**학년 학생은 **340**명이었습니다. 지금까지 **31**명이 전학을 갔고, **35**명이 전학을 왔습니다. 율기네 학교의 **2**학년 학생은 몇 명이 되었는지 구하시오.

 풀이

답 _____

9 전체 쪽수가 215쪽인 동화책을 어제와 오늘 이틀 동안 모두 읽었습니다. 어제 읽은 쪽수가 오늘 읽은 쪽수보다 9쪽 더 많았다면 어제와 오늘 읽은 쪽수를 각각 구하시오.

풀이▶

답 _____

10 문방구점에 필통과 크레파스가 모두 81개 있습니다. 이 중 필통이 크레파스보다 5개 더 많습니다. 만일, 크레파스가 9개 팔린다면 남는 크레파스는 몇 개인지 구하시오.

풀이▶

답 _____

11 자동차 공장에서 첫째 날 107대를 만들고, 둘째 날 205대의 자동차를 만들었습니다. 셋째 날 몇 대의 자동차를 더 만들었더니 모두 674대가 되었다면, 셋째 날 만든 자동차는 몇 대인지 구하시오.

풀이▶

답 _____

12 버스 안에 승객들이 몇 명 있었습니다. 이번 정류장에서 6명이 내리고, 15명이 더 타서 버스 안에 있는 사람은 34명이 되었습니다. 처음 버스에 있던 사람은 몇 명인지 구하시오.

풀이▶

답 _____

13 작은 리본 7개와 큰 리본 4개를 만드는 데 3m 20cm의 끈이 필요하고, 작은 리본 4개와 큰 리본 1개를 만드는 데 1m 10cm의 끈이 필요합니다. 작은 리본 3개와 큰 리본 3개를 만드는 데 필요한 끈의 길이는 몇 m 몇 cm인지 구하시오.

풀이

답 _____

14 연필 3자루와 지우개 3개, 샤프심 1통의 값은 990원이고, 같은 연필 1자루와 지우개 3개, 샤프심 1통의 값은 770원입니다. 연필 8자루의 값은 얼마인지 구하시오.

풀이

답 _____

15 크기가 같은 구슬을 가로로 6개, 세로로 4개씩 빈틈없이 늘어놓아 다음과 같은 모양을 만들었습니다. 구슬은 모두 몇 개인지 구하시오.

풀이

답 _____

16 다음과 같이 가로와 세로에 놓인 호두의 수가 같게 호두를 빈틈없이 늘어놓았습니다. 둘레에 놓인 호두의 수가 24개라면, 호두는 모두 몇 개인지 구하시오.

풀이

답 _____

17 둘레가 72m인 연못을 따라 나무를 8그루 심었습니다. 나무와 나무 사이의 간격은 몇 m인지 구하시오.

풀이▶

답 _____

18 어떤 끈으로 원을 만들었더니 20cm가 남았습니다. 원의 둘레에는 10cm 간격으로 점이 11개 찍혀 있습니다. 원을 만들기 전의 끈의 길이는 몇 cm인지 구하시오.

풀이▶

답 _____

19 다음은 가영이와 친구들이 규칙에 따라 동물의 이름을 말한 것입니다. ( ) 안에는 어떤 동물이 오는지 쓰시오.

> 사슴, 말, 말, 원숭이, 사슴, 말, 말, 원숭이, 사슴, ( ) …

풀이▶

답 _____

20 다음과 같은 규칙으로 동전들을 늘어놓았습니다. □ 안에는 얼마짜리 동전이 들어가야 하는지 쓰시오.

풀이▶

답 _____

Memo

Memo

Memo

꼭 ✓....
알아야 할

수학 문장제

(주)에듀왕

2학년이 꼭 ✓ 알아야 한

수학 문장제

www.왕수학.com

정답과 풀이

정답과 풀이

2학년

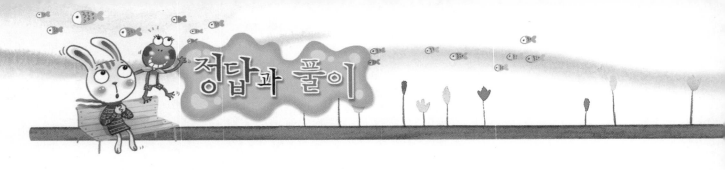

1 덧셈식 세워 해결하기

확인문제 p.4

1 24개

2 24+12=36, 36개

3 24+12+4=40, 40개

동메달 따기 p.5~6

1 182번	2 595개
3 470개	4 76
5 45개	6 165그루

1 어제 한 줄넘기 횟수와 오늘 한 줄넘기 횟수를 더하여 구합니다.
85+97=182(번)

2 예슬이네가 모은 빈 병과 영수네가 모은 빈 병을 더하여 구합니다.
246+349=595(개)

3 어제 생산한 달걀에 108을 더하여 구합니다. 362+108=470(개)

4 가장 큰 수는 63, 가장 작은 수는 13이므로, 63+13=76입니다.

5 사탕 한 봉지는 (나)+(동생)+12이므로, 15+18+12=45(개)입니다.

6 심은 나무 수는 (밤나무)+(소나무)+(잣나무)이므로, 52+48+65=165(그루)입니다.

은메달 따기 p.7~8

1 970원	2 373개
3 728	4 778
5 441개	6 900m

1 한초는 200+190=390(원),
석기는 500+80=580(원)이므로,

390+580=970(원)입니다.

2 (배의 수)=(사과의 수)+36+12이므로,
325+36+12=373(개)입니다.

3 300+90+5=395이므로, 395보다 333 큰 수는 395+333=728입니다.

4 가장 큰 수 : 543
가장 작은 수 : 234
두 번째로 작은 수 : 235
그러므로, 543+235=778입니다.

5 처음에 있던 귤의 수를 구하는 문제입니다.
처음 귤 수는 (어제 판 귤)+(오늘 판 귤)+(남은 귤)이므로,
156+189+96=441(개)입니다.

6 3일 동안 달린 총 거리는
(첫째 날 달린 거리)+(둘째 날 달린 거리)+(셋째 날 달린 거리)이므로,
200+300+400=900(m)입니다.

금메달 따기 p.9

| 1 142개 | 2 185마리 |
| 3 280 | |

1 감+배=65(개)
귤 : 65+12=77(개)
그러므로, 65+77=142(개)입니다.

2 돼지 : 120마리,
오리 : 120+40=160(마리)이므로,
닭 : 160+25=185(마리)입니다.

3 (어떤 수)−50=180이므로,
어떤 수 : 180+50=230, 그러므로, 바르게 계산한 값은 230+50=280입니다.

2 뺄셈식 세워 해결하기

확인문제 p. 10

1 130장   2 85장
3 45장

1 180−50=130(장)

2 130−45=85(장)

3 85−40=45(장)

동메달 따기 p. 11 ~ 12

1 362명   2 247개
3 79개   4 68개
5 55cm   6 61개

1 전체 어린이 수에서 남자 어린이 수를 빼서
구합니다. 그러므로, 768−406=362(명)
입니다.

2 이번달 만든 장난감 수에서 지난달 만든 장
난감 수를 빼서 구합니다.
그러므로, 892−645=247(개)입니다.

3 가영이가 모은 빈 병의 개수에서 예슬이가
모은 빈 병의 개수를 빼서 구합니다.
그러므로, 361−282=79(개)입니다.

4 전체 귤 수에서 삼촌 댁과 이모 댁에 드린 귤
수를 빼서 구합니다.
그러므로, 156−50−38=68(개)입니다.

5 철사 전체 길이에서 호랑이 모양과 토끼 모
양을 만드는 데 사용한 철사 길이를 빼서 구
합니다.
그러므로, 520−345−120=55(cm)입
니다.

6 전체 자두 수에서 떨어진 수와 따 먹은 수를
빼서 구합니다.
그러므로, 128−12−55=61(개)입니다.

은메달 따기 p. 13 ~ 14

1 40분   2 97, 14
3 331   4 670
5 6   6 28개

1 3시간 15분=180분+15분=195분
2시간 35분=120분+35분=155분
그러므로, 195−155=40(분)입니다.

2 결과가 가장 크려면 가장 큰 두 자리 수에서
가장 작은 두 자리 수를 뺍니다.
그러므로, 97−14입니다.

3 (어떤 수)+253=584이므로,
(어떤 수)는 584−253=331입니다.

4 가장 큰 세 자리 수는 874,
가장 작은 세 자리 수는 204
따라서, 874−204=670입니다.

5 ㄱ에 5를 넣을 경우 ㄴ, ㄷ은 함께 5를
넣을 수 없습니다.
ㄱ에 6을 넣을 경우 ㄴ, ㄷ은 6이 될 수
있습니다.
따라서, 6입니다.

6 사과의 수는 278−125=153(개)이므로,
사과는 귤보다 153−125=28(개) 더 많
습니다.

금메달 따기 p. 15

1 112명   2 60
3 248개

1 여학생 수는 340−180=160(명)이고, 이
중 안경을 낀 여학생은 48명이므로 안경을
끼지 않은 여학생은 160−48=112(명)입
니다.

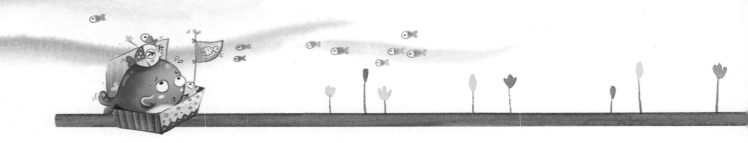

2 세 자리 수 3□8이 가장 큰 수일 때 □ 안에
9가 들어갑니다. 둘째 번으로 큰 수이려면
□ 안에 8이 들어갑니다. 또, 가장 작은 수
이려면 □ 안에 0, 둘째 번으로 작은 수이려
면 1, 셋째 번으로 작은 수이려면 2를 넣습
니다. 따라서, 388−328=60입니다.

3 □ 안에 들어갈 수 있는 수 중 가장 작은 세
자리 수는 100이고, 가장 큰 세 자리 수는
593−245−1=347입니다.
따라서, □에 들어갈 수 있는 세 자리 수는
347−100+1=248(개)입니다.

3 곱셈식 세워 해결하기

> **확인문제**   p.16
>
> **1** 7일
> **2** 3×7=21, 21시간
> **3** 2×5=10, 10시간

> **동메달 따기**   p.17 ~ 18
>
> **1** 20개   **2** 32명
> **3** 54개   **4** 56시간
> **5** 24개   **6** 49개

1 사자 1마리의 다리 수는 4개입니다. 그러므
로, 사자 5마리의 다리는 모두
4×5=20(개)입니다.

2 한 묶음에 8개씩 4묶음이라고 바꾸어 생각
하면, 모두 8×4=32(개),
즉 8×4=32(명)입니다.

3 9를 6번 더한 것과 마찬가지이므로,
9×6=54(개)입니다.

4 일 주일은 7일이므로 하루 8시간씩 7일 동안
잠을 잔 시간은 8×7=56(시간)입니다.

5 3개씩 8묶음으로 생각하면 동전의 개수는
모두 3×8=24(개)입니다.

6 한 바구니에 7개씩 7바구니이므로,
사과는 모두 7×7=49(개)입니다.

> **은메달 따기**   p. 19 ~ 20
>
> **1** 5개   **2** 36
> **3** 6 또는 7   **4** 18자루
> **5** 32살   **6** 12개

1 과자 전체의 개수는 5×6=30(개)입니다.
6명이 □개씩 먹는 과자가 30개이므로,
6×□=30에서 □=5입니다. 그러므로, 5개
씩 먹어야 합니다.

2 3×□=12에서 □=4, 7×□=28에서
□=4이므로, 석기가 말하는 수에 4를 곱하
여 대답합니다. 그러므로, 석기가 9를 말하
면 예슬이는 9×4=36을 답합니다.

3 한초가 6이고 가영이가 7일 때 6×7=42,
한초가 7이고 가영이가 6일 때 7×6=42
이므로 한초가 가진 숫자 카드는 6 또는 7입
니다.

4 한초가 가지고 있는 연필은 모두
3×3=9(자루)이므로,
한초의 형은 9×2=18(자루)입니다.

5 석기의 나이는 동생 나이의 2배이므로,
4×2=8(살)입니다. 또한, 삼촌의 나이는 석
기 나이의 4배이므로, 8×4=32(살)입니다.

6 석기의 사탕 수는 2×2=4(개)이고, 영수의
사탕 수는 석기의 3배이므로, 4×3=12(개)
입니다.

> **금메달 따기**   p. 21
>
> **1** 5, 6, 7
> **2** ▲ : 1, ★ : 3, ● : 6
> **3** 2배

1 (어떤 수)×8<60이므로, 어떤 수는 0, 1, 2, 3, 4, 5, 6, 7입니다.
또한, (어떤 수)×5>20이므로, 어떤 수는 5, 6, 7, 8, 9입니다.
두 가지를 만족하는 어떤 수는 5, 6, 7입니다.

2 ●×5=30에서 ●은 6입니다. ★×2=6에서 ★은 3입니다.
▲×3=3에서 ▲=1입니다.

3 율기는 가영이의 3배를 가지고 있으므로 4×3=12(개)를 가지고 있고, 한초는 6개를 가지고 있으므로,
12=6×□에서 □=2, 즉 율기는 한초의 2배를 가지고 있습니다.

4 혼합계산식 세워 해결하기

확인문제 p.22

1 9살
2 9×5=45, 45살
3 9×5−5=40, 40살

동메달 따기 p. 23 ~ 24

1 635개	2 284명
3 78개	4 33자루
5 28개	6 45자루

1 어제 생산한 달걀 500개에서 판 달걀 350개를 뺀 뒤, 오늘 생산한 달걀 485개를 더하여 구합니다.
따라서, 500−350+485=635(개)입니다.

2 280명에서 전학 간 학생 수를 뺀 뒤, 전학 온 학생 수를 더하여 구합니다.
따라서, 280−25+29=284(명)입니다.

3 4명의 어린이가 가진 사탕 수는 4×9=36(개), 나머지 어린이가 가진 사탕 수는 (11−4)×6=42(개)입니다.
따라서, 36+42=78(개)입니다. 하나의 식으로 나타내면,
(4×9)+(7×6)=78(개)

4 연필 수가 같아지기 위해서 동민이에게 더 필요한 연필 수는 신영이와 동민이의 연필 수의 차이 만큼입니다.
따라서, (6×9)−(3×7)=33(자루)입니다.

5 7상자 안에 들어있는 음료수의 개수는 7×8=56(개)이므로, 남은 음료수는 56−28=28(개)입니다. 하나의 식으로 정리하면 (7×8)−28=28(개)입니다.

6 연필 3다스는 3×12=36(자루),
연필 2다스는 2×12=24(자루)이므로, 사용하지 않은 연필은
(3×12)−15+(2×12)=45(자루)입니다.

은메달 따기 p. 25 ~ 26

1 53장	2 50개
3 66cm	4 9개
5 31개	6 422

1 한초가 가지고 있는 색종이 수의 6배는 8×6=48(장)이므로 율기는 (8×6)+5=53(장) 가지고 있습니다.

2 석기가 가지고 있는 구슬 수는 5+3+1=9(개)이므로, 동민이는 (9×7)−13=50(개) 가지고 있습니다.

3 필요한 색테이프의 길이는 8×9=72(cm)이지만 6cm 모자라므로, 실제 색테이프의 길이는 72−6=66(cm)입니다.

4 한별이가 먹는 방울토마토의 수는 7×3=21(개)이므로, 남는 방울토마토의 수는 30−21=9(개)입니다.

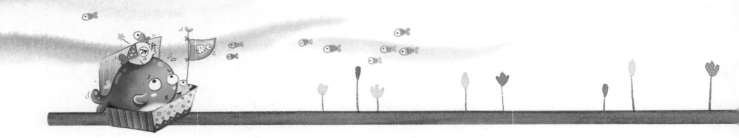

하나의 식으로 정리하면,
$30-(7\times3)=9$(개)입니다.

5 보를 낸 어린이는 $10-3-2=5$(명)입니다. 가위의 경우 펼친 손가락은 2, 바위의 경우 0, 보의 경우 5이므로, 펼친 손가락은 모두 $(2\times3)+(5\times5)=31$(개)입니다.

6 앞의 수에, 뒤의 수의 3배를 더하여 계산합니다. $398☆8=398+(8\times3)=422$

금메달 따기   p. 27

1 36개   **2** 9마리

3 4

1 율기의 사탕 수는 $(8\times5)+25=65$(개)이고, 예슬이는 율기보다 29개 더 적게 있으므로 예슬이는 $65-29=36$(개) 가지고 있습니다.

2 소 8마리의 다리 수는 $4\times8=32$(개)이므로, 닭 몇 마리의 다리 수는
$50-32=18$(개)입니다.
그러므로, $2\times\square=18$에서 □ 안에 들어갈 알맞은 수는 9입니다. 따라서, 9마리입니다.

3 두 수를 곱하여 18이 되는 경우는 1×18, 2×9, 3×6으로 생각할 수 있으며, 이 중 큰 수가 작은 수의 2배가 되는 경우는 3×6일 때입니다. 따라서, 큰 수는 6이므로,
$(6\times9)-50=4$입니다.

5 예상하여 해결하기

확인문제   p. 28

1 17, 14, 12, 30, 30, 30
2 석기 : 18개, 가영 : 12개

동메달 따기   p. 29 ~ 32

1 12자루   **2** 54장
3 800원   **4** 38살
5 23개   **6** 14명
7 14자루   **8** 24개
9 26송이
10 석기 : 26개, 가영 : 19개
11 검은색 : 46개, 흰색 : 41개
12 어제 : 68쪽, 오늘 : 57쪽

1 가지고 있는 연필 수를 예상하여 구합니다.

동민	10	11	12
율기	10	9	8
합	20	20	20
차	0	2	4

위의 표에서 연필 수의 차가 4인 경우를 찾으면, 동민이의 연필 수는 12자루입니다.

2 가지고 있는 색종이 수를 예상하여 구합니다.

한별	50	51	52	53	54
예슬	50	49	48	47	46
합	100	100	100	100	100
차	0	2	4	6	8

위의 표에서 색종이 수의 차가 8인 경우, 한별이의 색종이 수는 54장입니다.

3 가지고 있는 돈을 예상하여 구합니다.

신영	1000	1100	1200
한솔	1000	900	800
합	2000	2000	2000
차	0	200	400

위의 표에서 돈의 차가 400원인 경우, 한솔이는 800원을 가지고 있습니다.

4 연세를 예상하여 표를 만들어 구합니다.

아버지의 연세	40	41	42	43
어머니의 연세	40	39	38	37
연세의 합	80	80	80	80
연세의 차	0	2	4	6

5 사 온 개수를 예상하여 표를 만들어 구합니다.

귤의 개수	20	21	22	23
사과의 개수	20	19	18	17
합	40	40	40	40
차	0	2	4	6

위의 표에서 개수의 차가 6개인 경우 귤의 개수는 23개입니다.

6 학생 수를 예상하여 표를 만들어 구합니다.

남학생 수	15	16	17
여학생 수	15	14	13
합	30	30	30
차	0	2	4

위의 표에서 학생 수의 차가 2명인 경우 여학생은 14명입니다.

7 색연필의 수를 예상하여 표를 만들어 구합니다.

빨간 색연필 수	12	13	14
파란 색연필 수	12	11	10
합	24	24	24
차	0	2	4

위의 표에서 색연필의 차가 4인 경우 빨간 색연필은 14자루입니다.

8 먹은 사탕 수를 예상하여 표를 만들어 구합니다.

예슬이가 먹은 사탕 수	21	22	23	24
한초가 먹은 사탕 수	21	20	19	18
합	42	42	42	42
차	0	2	4	6

위의 표에서 사탕 수의 차가 6인 경우 예슬이가 먹은 사탕은 24개입니다.

9 꽃의 수를 예상하여 표를 만들어 구합니다.

장미의 수	30	31	32	33	34
튤립의 수	30	29	28	27	26
합	60	60	60	60	60
차	0	2	4	6	8

위의 표에서 꽃의 수의 차가 8송이인 경우 튤립은 26송이입니다.

10 석기의 구슬 수가 많으므로 석기는 23개, 가영이는 22로 예상한 것부터 따져봅니다.

석기의 구슬 수	23	24	25	26
가영이의 구슬 수	22	21	20	19
합	45	45	45	45
차	1	3	5	7

위의 표에서 구슬 수의 차가 7개인 경우 석기는 26개, 가영이는 19개입니다.

11 검은색 바둑돌 수가 더 많은 것을 생각하여 표를 그립니다.

검은색 바둑돌 수	44	45	46	47
흰색 바둑돌 수	43	42	41	40
합	87	87	87	87
차	1	3	5	7

위의 표에서 바둑돌의 차가 5개인 경우 검은색은 46개, 흰색은 41개입니다.

12 읽은 쪽수를 예상하여 표를 그려 구합니다.

어제 읽은 쪽수	63	64	65	66	67	68
오늘 읽은 쪽수	62	61	60	59	58	57
합	125	125	125	125	125	125
차	1	3	5	7	9	11

위의 표에서 쪽수의 차이가 11쪽인 경우, 어제 읽은 쪽수는 68쪽, 오늘 읽은 쪽수는 57쪽입니다.

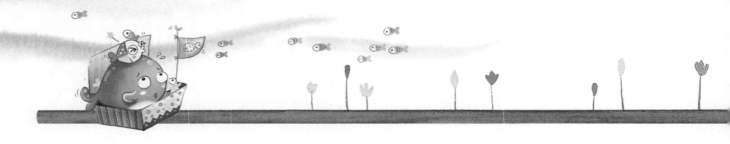

필통의 개수	33	34	35	36
크레파스의 개수	32	31	30	29
합	65	65	65	65
차	1	3	5	7

위의 표에서 볼 때 크레파스의 개수는 29개이므로, 남는 크레파스의 개수는
29−8=21(개)입니다.

6 한솔이가 가진 사탕 수를 구하여 5개를 뺍니다.

한별이의 사탕 수	25	26	27	28	29
한솔이의 사탕 수	24	23	22	21	20
합	49	49	49	49	49
차	1	3	5	7	9

위의 표에서 볼 때 한솔이의 사탕 수는 20개이므로, 20−5=15(개) 남습니다.

은메달 따기 p. 33 ~ 34

1 24살
2 한초 : 13살, 동민 : 11살
3 73개   4 33명
5 21개   6 15개

2 한초와 동민이의 나이의 합이 24살, 차가 2살이므로, 표를 그려 구합니다.

한초의 나이	12	13	14
동민이의 나이	12	11	10
합	24	24	24
차	0	2	4

위의 표에서 나이 차가 2살인 경우 한초는 13살, 동민이는 11살

3 배와 감의 개수의 합은
200−60=140(개)이고, 배와 감의 차는 6개이므로, 표를 그려 구합니다.

배의 개수	70	71	72	73
감의 개수	70	69	68	67
합	140	140	140	140
차	0	2	4	6

위의 표에서 개수의 차 6인 경우, 배는 73개, 감은 67개입니다.

4 먼저 표를 그려 운동장에 놀고 있는 남학생 수를 구해서 10명을 뺍니다.

남학생 수	41	42	43
여학생 수	40	39	38
합	81	81	81
차	1	3	5

위의 표에서 볼 때 운동장에서 놀고 있는 남학생은 43명이므로, 10명이 집으로 돌아가면 43−10=33(명) 남습니다.

5 문방구점에 있는 크레파스가 몇 개인지 구해서 8개를 뺍니다.

금메달 따기 p. 35

1 53그루   2 18개
3 16개

1 밤나무와 잣나무의 합은 100−20=80(그루)이고, 차는 10그루입니다.

밤나무의 수	40	41	42	43	44	45
잣나무의 수	40	39	38	37	36	35
합	80	80	80	80	80	80
차	0	2	4	6	8	10

위의 표에서 밤나무와 잣나무의 차가 10그루인 경우, 밤나무는 45그루입니다. 그러므로 밤나무를 8그루 더 심는다면 밤나무는
45+8=53(그루)가 됩니다.

2 지우개와 공책의 합은 50−10=40(개)이고, 차는 6개입니다.

지우개의 수	20	21	22	23
공책의 수	20	19	18	17
합	40	40	40	40
차	0	2	4	6

위의 표에서 지우개와 공책의 차가 6개인 경우 지우개는 23개입니다. 그러므로, 5개 사용 후 남는 지우개는 23−5=18(개)입니다.

3 노란 풍선과 빨간 풍선의 합은 58−13=45(개)이고, 차는 3개입니다.

노란 풍선의 수	23	24	25
빨간 풍선의 수	22	21	20
합	45	45	45
차	1	3	5

위의 표에서 노란 풍선과 빨간 풍선의 차가 3개인 경우, 노란 풍선은 24개입니다. 그러므로 8개가 터진 뒤 남은 풍선은 24−8=16(개)입니다.

6 거꾸로 생각하여 해결하기

확인문제   p.36

1 920, 470, 370, 450, 100, 600
2 920원

동메달 따기   p. 37 ~ 40

1 20   2 49
3 48   4 21명
5 31명   6 68개
7 45장   8 95개
9 30쪽   10 108개
11 140권   12 190대

1 문제를 그림으로 나타내면

⑭에 들어갈 수는 16+9=25, ㉮에 들어갈 수는 25−5=20입니다.
따라서, 어떤 수는 20입니다.

2 문제를 그림으로 나타내면

⑭에 들어갈 수는 51−20=31, ㉮에 들어갈 수는 31+18=49입니다.
따라서, 어떤 수는 49입니다.

4 문제를 그림으로 나타내면

⑭에 들어갈 수는 18+15=33, ㉮에 들어갈 수는 33−12=21입니다.
따라서, 처음에 놀이터에 있던 어린이는 21명입니다.

5 문제를 그림으로 나타내면

⑭에 들어갈 수는 35−12=23, ㉮에 들어갈 수는 23+8=31입니다.
따라서, 처음 버스에 있던 사람은 31명입니다.

7 문제를 그림으로 나타내면

⑭에 들어갈 수는 39+24=63, ㉮에 들어갈 수는 63−18=45입니다.
따라서, 율기가 처음에 가지고 있던 스티커는 45장입니다.

9 문제를 그림으로 나타내면

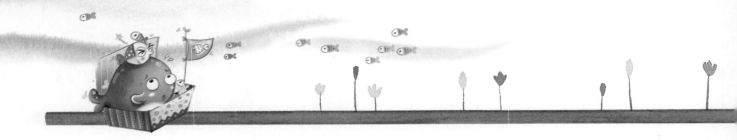

┌─┐ +30 ┌─┐ +45 ┌───┐
│㉮│ ⇄ │㉯│ ⇄ │105│
└─┘ −30 └─┘ −45 └───┘

㉯에 들어갈 수는 105−45=60, ㉮에 들어갈 수는 60−30=30입니다. 따라서, 가영이가 어제까지 읽은 쪽수는 30쪽입니다.

10 오전에 판 지우개 수만큼 오후에 지우개를 더 들여왔으므로 오후에 들여온 지우개 수는 24개입니다. 문제를 그림으로 나타내면

┌─┐ −24 ┌─┐ +24 ┌───┐
│㉮│ ⇄ │㉯│ ⇄ │108│
└─┘ +24 └─┘ −24 └───┘

㉯에 들어갈 수는 108−24=84, ㉮에 들어갈 수는 84+24=108입니다.
따라서, 처음에 있던 지우개 수는 108개입니다.

11 문제를 그림으로 나타내면

┌─┐ −19 ┌─┐ +35 ┌───┐
│㉮│ ⇄ │㉯│ ⇄ │156│
└─┘ +19 └─┘ −35 └───┘

㉯에 들어갈 수는 156−35=121,
㉮에 들어갈 수는 121+19=140입니다.
따라서, 처음에 있던 예슬이네 반 학급 문고의 책은 140권입니다.

12 첫째 날에 만든 자동차의 수를 □라 하면,
□+170+160=520이므로
□=520−160−170=190입니다.
따라서, 첫째 날에 만든 자동차의 수는 190대입니다.

별해

셋째 날 자동차를 만들기 전 :
520−160=360(대)
둘째 날 자동차를 만들기 전 :
360−170=190(대)

● 은메달 따기   p. 41 ~ 42

1 43   **2** 64
3 309상자   **4** 24개
5 69쪽   **6** 6시 50분

1 어떤 수를 □라 하고, 문제를 그림으로 나타내면

┌──┐ −□ ┌──┐ +17 ┌──┐
│53│ ⇄ │10│ ⇄ │27│
└──┘ +□ └──┘ −17 └──┘

10+□=53이므로 □=53−10=43입니다.

2 어떤 수를 □라 하고, 문제를 그림을 나타내면

┌───┐ +25 ┌─┐ −□ ┌──┐
│108│ ⇄ │㉮│ ⇄ │69│
└───┘ −25 └─┘ +□ └──┘

㉮−25=108이므로 ㉮에 들어갈 수는 108+25=133입니다.
따라서, 69+□=133이므로
□=133−69=64입니다.

3 7명에게 2상자씩 팔았으므로 (7명에게 판 상자)=2×7=14(상자)이고, 5명에게 3상자씩 팔았으므로
(5명에게 판 상자)=3×5=15(상자)입니다.
처음에 딴 사과 상자 수를 □라 하면,
□−14−15=280이므로
□=280+15+14=309입니다.
따라서, 처음에 딴 사과는 309상자입니다.

4 32=16+16이므로, 동민이에게 주고 남은 초콜릿 수는 16개입니다.
따라서, 동민이에게 주기 전 초콜릿 수는
16+8=24(개)입니다.

5 셋째 날 읽은 쪽수가 36쪽이므로, 둘째 날 읽은 쪽수는 36−17=19(쪽)입니다. 또한 둘째 날 읽은 쪽수는 첫째 날 읽은 쪽수보다 5쪽이 더 많으므로 첫째 날 읽은 쪽수는
19−5=14(쪽)입니다.
따라서, 한별이가 3일 동안 읽은 쪽수는

14＋19＋36＝69(쪽)입니다.

6 한초가 버스를 타기 전 시각은 8시 20분보다 30분 이른 7시 50분이고, 한초가 학교 갈 준비를 하기 전 시각은 7시 50분보다 1시간 이른 6시 50분입니다.
따라서, 한초가 일어난 시각은 6시 50분입니다.

금메달 따기
p. 43

1 15   2 5m
3 5장

1 어떤 수를 먼저 구해봅니다. 문제를 그림을 나타내면

$$\boxed{㉮} \xrightarrow[-17]{+17} \boxed{㉯} \xleftarrow[-45]{+45} \boxed{105}$$

㉯에 들어갈 수는 105－45＝60, ㉮에 들어갈 수는 60－17＝43입니다.
따라서, 어떤 수는 43입니다. 바르게 계산하면 43＋17－45＝15입니다.

2 1개 포장하는 데 70cm의 색 테이프가 필요하므로 5개 포장하는 데는
70＋70＋70＋70＋70＝350(cm)의 색 테이프가 필요합니다. 석기가 처음에 가지고 있던 색 테이프의 길이를 □cm라 하면,
□－350＝150이고,
□＝150＋350＝500입니다.
따라서, 석기가 처음에 가지고 있던 색 테이프의 길이는 500cm ➡ 5m입니다.

3 친구들에게 8장을 주기 전 영수가 가지고 있던 색종이는 17＋8＝25(장)입니다. 25장은 영수가 가지고 있던 색종이의 5배와 같으므로 영수가 처음에 가지고 있던 색종이 수를 □라 하면, □×5＝25, □＝5(장)입니다.

7 한쪽을 지워서 해결하기

확인문제
p. 44

1 빨간색 테이프 2개만큼의 차이가 납니다.
2 1, 10
3 1m 10cm

3 2m 90cm－1m 80cm＝1m 10cm

동메달 따기
p. 45 ~ 48

1 170원   2 50원
3 15원   4 80원
5 100원   6 20명
7 2m 40cm   8 370원
9 100원   10 150원
11 300원   12 300원

1 영수와 지혜가 산 색연필의 수는 같고, 사인펜 1자루만큼의 차이가 납니다.
따라서, 사인펜 1자루의 값은
810－640＝170(원)입니다.

2 주사위 3개와 구슬 1개는 주사위 3개와 구슬 2개와의 관계에서 구슬 1개만큼의 차이가 납니다.
따라서, 구슬 1개의 값은
340－290＝50(원)입니다.

3 파란 구슬 20개와 빨간 구슬 15개는 파란 구슬 19개와 빨간 구슬 15개와의 관계에서 파란 구슬 1개만큼의 차이가 납니다.
따라서, 파란 구슬 1개의 값은
480－465＝15(원)입니다.

4 지우개 5개와 연필 7개는 지우개 3개와 연필 7개와의 관계에서 지우개 2개만큼의 차이가 납니다. 따라서, 지우개 2개의 값은
900－820＝80(원)입니다.

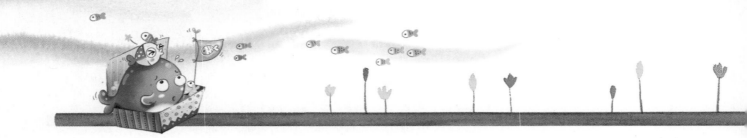

5 동민이는 규형이보다 감자 1개를 더 샀습니다. 규형이가 낸 돈은 800원이고, 동민이가 낸 돈은 900원입니다.
따라서, 감자 1개의 값은
900−800=100(원)입니다.

6 오토바이 2대와 자동차 5대는 오토바이 2대와 자동차 10대와의 관계에서 자동차 5대만큼의 차이가 납니다.
따라서, 자동차 5대에는 44−24=20(명)이 탈 수 있습니다.

7 작은 리본을 ▲, 큰 리본을 △라 하면, ▲▲△△만큼의 차이가 납니다.
따라서, 작은 리본 2개와 큰 리본 2개를 만드는 데 필요한 끈의 길이는
5m 50cm−3m 10cm=2m 40cm입니다.

8 감 1개와 키위 5개는 감 1개와 키위 10개와의 관계에서 키위 5개만큼의 차이가 납니다.
따라서, 키위 5개의 값은 930−560=370(원)입니다.

9 장미 1송이를 색지로 포장한 값이 500원이고, 같은 장미 2송이를 색지로 포장한 값이 900원이므로 장미 1송이의 값은
900−500=400(원)입니다.
따라서, 색지만의 값은
500−400=100(원)입니다.

10 감자 2개와 고구마 1개는 감자 4개와 고구마 1개와의 관계에서 감자 2개만큼의 차이가 나므로 감자 2개의 값은
950−550=400(원)입니다.
따라서, 고구마 1개의 값은
550−400=150(원)입니다.

11 빨간 스티커 1장만큼의 차이가 나므로 빨간 스티커 1장의 값은 890−740=150(원)입니다.
따라서, 빨간 스티커 2장을 사는데 필요한 돈은 150+150=300(원)입니다.

12 연필 1자루만큼의 차이가 나므로 연필 1자루의 값은 900−800=100(원)입니다.
따라서, 연필 3자루의 값은
100+100+100=300(원)입니다.

은메달 따기	p. 49 ~ 50
1 450원	**2** 800원
3 200원	**4** 800원
5 240원	**6** 750원

1 색도화지 2장과 색 테이프 5m는 색도화지 2장과 색 테이프 8m와의 관계에서 색 테이프 3m만큼의 차이가 나므로 색 테이프 3m의 값은 800−650=150(원)입니다.
따라서, 색 테이프 3m의 값이 150원이므로 색 테이프 9m의 값은
150+150+150=450(원)입니다.

2 어린이 2명과 어른 1명은 어린이 1명과 어른 1명과의 관계에서 어린이 1명만큼의 차이가 나므로 어린이 1명의 입장료는
750−550=200(원)입니다.
어린이 1명의 입장료가 200원이므로 어린이 4명의 입장료는 200+200+200+200=800(원)입니다.

3 두 과일 바구니는 사과 1개, 배 1개, 자두 1개만큼의 차이가 나므로 사과 1개, 배 1개, 자두 1개의 값은 980−590=390(원)입니다.
따라서, (바구니만의 값)=(과일 바구니의 값)−(과일의 값)이므로 바구니만의 값은
590−390=200(원)입니다.

4 연필 4자루만큼의 차이가 나므로 연필 4자루의 값은 750−590=160(원)입니다.
4×□=20에서 □=5이므로 연필 20자루는 4자루만큼이 5번 있는 것과 같습니다.
따라서, 연필 20자루의 값은
160+160+160+160+160=800(원)입니다.

5 우표 1장만큼의 차이가 나므로 우표 1장의 값은 840−690=150(원)입니다.
따라서, 우표 3장의 값은
150+150+150=450(원)이고, 그림 엽서 2장과 우표 3장의 값이 690원이므로 그림 엽서 2장의 값은
690−450=240(원)입니다.

6 크림빵 1개만큼의 차이가 나므로 크림빵 1개의 값은 950−850=100(원)입니다. 크림빵 1개와 단팥빵 5개의 값이 850원이므로 단팥빵 5개의 값은
850−100=750(원)입니다.

금메달 따기   p. 51

1 300원
2 B 방, 31개
3 500원

---

1 자두 1개의 값은 600−450=150(원)이므로 복숭아 1개의 값은
450−150=300(원)입니다.

2 B 방에는 A 방보다 둥근 탁자 1개와 네모난 탁자 3개가 더 놓여 있습니다. 둥근 탁자에는 의자를 4개씩 놓아야 하고, 네모난 탁자에는 의자를 9개씩 놓아야 하므로 B 방에 4+9+9+9=31(개)의 의자를 더 놓아야 합니다.

3 연필 2자루와 지우개 2개의 값은
250+250=500(원)이므로 지우개 1개의 값은 600−500=100(원)입니다.
따라서, 지우개 5개의 값은
100+100+100+100+100=500(원)입니다.

---

8   **바둑돌 늘어놓기 유형 해결하기**

확인문제   p. 52

1 8×8=64, 64개   **2** 7개
3 28개

---

1 가로로 8개씩 묶으면 8묶음이므로 구슬은 모두 8×8=64(개)입니다.

3 (둘레에 놓인 구슬의 개수)
  ={(한 변에 놓인 구슬의 수)−1}×4
  =(8−1)×4
  =7×4=28(개)

동메달 따기   p. 53 ~ 56

1 49개	**2** 36개
3 18개	**4** 7개
5 33개	**6** 24개
7 36개	**8** 20개
9 24개	**10** 32장
11 5개	**12** 8개

---

1 바둑돌을 가로로 7개씩 묶으면 7묶음입니다. 따라서, 바둑돌은 모두 7×7=49(개)입니다.

2 구슬을 세로로 6개씩 묶으면 6묶음입니다. 따라서, 구슬은 모두 6×6=36(개)입니다.

3 바둑돌을 가로로 3개씩 묶으면 6묶음이 됩니다. 따라서, 바둑돌은 모두 3×6=18(개)입니다.

별해

바둑돌을 세로로 6개씩 묶으면 3묶음입니다. 따라서, 바둑돌은 모두 6×3=18(개)입니다.

4 세로에 놓인 클립을 □개라 하면 9개씩 □묶음이 63개입니다. ➡ 9×□=63

$9 \times 7 = 63$이므로 □=7입니다.
따라서, 세로에 놓인 클립은 7개입니다.

5 콩을 가로로 묶으면 7개씩 3묶음과 4개씩 3
묶음이므로 콩은 모두
$(7 \times 3) + (4 \times 3) = 21 + 12 = 33$(개)입니다.

별해

① 콩을 세로로 묶으면 6개씩 4묶음과 3개
씩 3묶음이므로 콩은 모두
$(6 \times 4) + (3 \times 3) = 24 + 9 = 33$(개)입
니다.

② 전체는 7개씩 6묶음이고, 비어 있는 부분
은 3개씩 3묶음이므로 콩은
$(7 \times 6) - (3 \times 3) = 42 - 9 = 33$(개)입
니다.

6 전체는 6개씩 5묶음이고, 비어 있는 부분은
3개씩 2묶음이므로 밤은
$(6 \times 5) - (3 \times 2) = 30 - 6 = 24$(개)입니다.

별해

① 밤을 가로로 묶으면 6개씩 3묶음과 2개
씩 3묶음이므로 밤은 모두
$(6 \times 3) + (2 \times 3) = 18 + 6 = 24$(개)입
니다.

② 밤을 세로로 묶으면 5개씩 3묶음과 3개
씩 3묶음이므로 밤은 모두
$(5 \times 3) + (3 \times 3) = 15 + 9 = 24$(개)입
니다.

7 지우개를 세로로 묶으면 6개씩 5묶음과 2개
씩 3묶음이므로 지우개는 모두
$(6 \times 5) + (2 \times 3) = 30 + 6 = 36$(개)입니다.

별해

① 지우개를 가로로 묶으면 5개씩 4묶음과
8개씩 2묶음이므로 지우개는 모두
$(5 \times 4) + (8 \times 2) = 20 + 16 = 36$(개)
입니다.

② 전체는 8개씩 6묶음이고, 비어 있는 부분
은 3개씩 4묶음이므로 지우개는
$(8 \times 6) - (3 \times 4) = 48 - 12 = 36$(개)
입니다.

8 (둘레에 놓인 바둑돌의 개수)
$= (6 - 1) \times 4 = 5 \times 4 = 20$(개)

9 (둘레에 놓인 동전의 개수)
$= (7 - 1) \times 4 = 6 \times 4 = 24$(개)

10 (둘레에 놓인 스티커의 개수)
$= (9 - 1) \times 4 = 8 \times 4 = 32$(장)

11 $5 \times 5 = 25$이므로 가장 바깥쪽의 가로에 놓
인 바둑돌은 5개입니다.

12 $8 \times 8 = 64$이므로 가장 바깥쪽의 세로에 놓
인 바둑돌은 8개입니다.

은메달 따기	p. 57 ~ 58
1 76장	2 24개
3 26개	4 10개
5 100개	6 32개

1 우표는 모두
$(4 \times 10) + \{(12 \times 4) - (4 \times 3)\}$
$= 40 + 36 = 76$(장)입니다.

2 $49 = 7 \times 7$이므로 둘레에 놓인 호두는
$(7 - 1) \times 4 = 24$(개)입니다.

3 (둘레에 놓인 구슬의 개수)
$= (10 - 1) \times 2 + (5 - 1) \times 2$
$= 9 \times 2 + 4 \times 2 = 26$(개)

4 {(한 변에 놓인 바둑돌의 개수)−1}×4=36
에서 $9 \times 4 = 36$이므로
(한 변에 놓인 바둑돌의 개수)−1=9입니다.
따라서, 가장 바깥쪽의 한 변에 놓인 바둑돌
은 10개입니다.

5 가로와 세로에 놓인 바둑돌의 개수가 10개
씩입니다. 10이 10이면 100이므로 바둑돌
은 모두 100개입니다.

6 가로와 세로에 놓인 바둑돌의 개수가 같으므
로 $9 \times 9 = 81$에서 가로와 세로에 바둑돌을

9개씩 놓은 것입니다.
따라서, 둘레에 놓인 바둑돌의 개수는
$(9-1)\times4=32$(개)입니다.

금메달 따기 p. 59

1 800원	2 320원
3 14장	

1 둘레에 놓인 50원짜리 동전은
$(5-1)\times4=4\times4=16$(개)입니다.
50이 10이면 500이고, 50이 6이면 300
입니다.
따라서, $500+300=800$(원)입니다.

2 동전으로 모양을 한 번 둘러싸면 가로와 세
로에는 동전이 9개씩 놓이므로 새로 만들어
진 모양의 둘레에는 동전이
$(9-1)\times4=32$(개) 놓이게 됩니다.
따라서, 필요한 돈은 320원입니다.

3 곱셈구구에서 곱이 20인 두 수를 찾아보면
$4\times5=20$에서 4와 5입니다. 가로에 놓인
카드의 수가 1장 더 많으므로 가로로 5장씩,
세로로 4장씩 놓은 것입니다.
따라서, 둘레에 놓인 카드는
$(5-1)\times2+(4-1)\times2=8+6=14$(장)
입니다.

9 나무심기 유형 해결하기

확인문제 p. 60

1 4개	2 5그루
3 10그루	

1 $8\times4=32$에서 간격은 4개입니다.

2 (나무의 수)$=4+1=5$(그루)

3 $5\times2=10$(그루)

동메달 따기 p. 61 ~ 64

1 9그루	2 27m
3 8번	4 6m
5 7개	6 3번
7 6그루	8 8개
9 6개	10 9m
11 72m	12 9장

1 $6\times8=48$에서 간격의 수는 8개입니다.
따라서, 은행나무는 $8+1=9$(그루)가 필요
합니다.

2 깃발의 수는 간격의 수보다 1개 더 많습니
다. 따라서, 간격이 9개이므로 선의 길이는
$3\times9=27$(m)입니다.

3 $4\times7=28$에서 간격의 수는 7개입니다.
따라서, 선분 위에 점을 $7+1=8$(번) 찍어
야 합니다.

4 도로의 처음과 끝에도 가로등을 세웠으므로
간격은 7개입니다.
따라서, $6\times7=42$에서 가로등은 6m 간격
으로 세웠습니다.

5 $6\times8=48$에서 간격은 8개입니다.
따라서, 돌멩이는 $8-1=7$(개)입니다.

6 5cm짜리 고무줄을 4개 이으면 20cm가 됩
니다. 고무줄이 4개가 되려면 3번 잘라야 합
니다.

7 $7\times7=49$에서 간격의 수는 7개입니다.
따라서, 이 도로의 한쪽에는 나무가
$7-1=6$(그루) 필요합니다.

8 전봇대의 수는 간격의 수보다 1개 더 적습니다.
$8\times9=72$에서 간격의 수가 9개입니다.

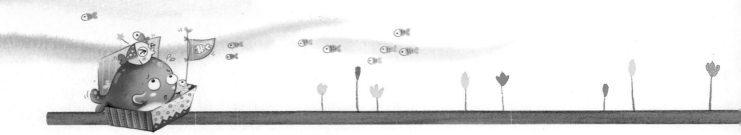

따라서, 전봇대는 8개입니다.

9 처음과 끝 지점이 같으므로 돌멩이의 수는 간격의 수와 같습니다.
$9 \times 6 = 54$에서 간격의 수가 6개이므로 필요한 돌멩이도 6개입니다.

10 연못에서 나무의 수와 간격의 수는 같습니다.
간격의 수가 7개이므로 $9 \times 7 = 63$에서 간격은 9m입니다.

11 농장에서 소나무의 수와 간격의 수는 같습니다.
간격의 수가 9개이므로 농장의 둘레는 $8 \times 9 = 72$(m)입니다.

12 원에서 스티커의 수와 간격의 수는 같습니다.
$5 \times 9 = 45$에서 간격의 수가 9개입니다.
따라서, 꽃 스티커는 9장 필요합니다.

자르지 않으므로 통나무를 9번 자르면 10개의 통나무가 만들어집니다.
따라서, 50을 10번 더하면 500이므로 통나무를 50cm 간격으로 잘라야 합니다.

5 철길의 한쪽에 심은 목련나무는 34그루이고, 철길의 처음과 끝에 목련나무를 심지 않았으므로 간격의 수는 목련나무의 수보다 1개 더 많은 35개입니다.
따라서, 목련나무를 1m 간격으로 심은 것이고, 1m=100cm입니다.

6 원에서 점의 개수와 간격의 수는 같습니다.
12를 10번 더하면 120이므로 원의 둘레의 길이는 120cm이고, 원을 만들고 15cm가 남았으므로 처음 끈의 길이는 $120 + 15 = 135$(cm)입니다.

은메달 따기
p. 65 ~ 66

1 14그루	2 36m
3 4장	4 50cm
5 100cm	6 135cm

1 $8 \times 8 = 64$에서 간격의 수는 8개입니다.
따라서, 이 도로 한쪽에 나무를 심는 데 필요한 나무는 $8 - 1 = 7$(그루)이므로 양쪽에는 $7 \times 2 = 14$(그루)가 필요합니다.

2 말뚝의 수는 간격의 수보다 1개 더 적습니다.
따라서, 간격의 수는 $8 + 1 = 9$(개)이고, $4 \times 9 = 36$이므로 집에서 농장까지의 거리는 36m입니다.

3 원에서 스티커의 수와 간격의 수는 같습니다.
$6 \times 6 = 36$이므로 스티커는 6장을 붙일 수 있습니다.
따라서, 스티커는 $10 - 6 = 4$(장) 남습니다.

4 5m=500cm이고, 통나무의 처음과 끝은

금메달 따기
p. 67

1 62cm	2 16개
3 5cm	

1 8cm를 10번 더하면 80cm이고, 10장을 이으면 겹쳐지는 부분은 9군데이므로 겹쳐지는 부분의 길이는 $2 \times 9 = 18$(cm)입니다.
따라서, 이은 색 테이프의 전체 길이는 $80 - 18 = 62$(cm)입니다.

2 사각형의 둘레의 길이는 $30 + 50 + 30 + 50 = 160$(cm)입니다.
10을 16번 더하면 160이므로 압정은 16개가 필요합니다.

3 색종이 6장의 가로의 길이의 합은 $7 \times 6 = 42$(cm)입니다.
간격의 수가 7개이므로 간격을 □cm라 하면 $42 + (□ \times 7) = 77$,
$□ \times 7 = 77 - 42 = 35$에서 □=5입니다.

10 규칙적으로 반복되는 유형 해결하기

확인문제   p.68

1 축, 야, 야, 축	2 축구공

1 축구공 1개, 야구공 2개, 축구공 1개가 반복되고 있습니다.

2 12째 번까지의 공을 4개씩 묶으면 3묶음이 되므로 □ 안에는 반복되는 부분의 맨 처음에 있는 공과 같은 축구공이 놓입니다.

동메달 따기   p. 69 ~ 72

1 지혜	2 코끼리
3 ◁	4 ⊠
5 10원짜리 동전	6 사과
7 3	8 (주사위 모양)
9 (주사위 모양)	10 ←, →
11 목요일	12 금요일

1 반복되는 친구들의 이름을 살펴보면 한초, 지혜, 동민입니다. 한초 뒤에는 지혜가 있으므로 ( ) 안에 들어갈 이름은 지혜입니다.

2 반복되는 동물들을 살펴보면 닭, 토끼, 코끼리, 호랑이입니다. 토끼 다음에는 코끼리를 말하는 규칙이므로 ( ) 안에는 코끼리가 오게 됩니다.

3 반복되는 부분은 A ◁ A ▷ 입니다.

A 다음에는 ◁ 가 오는 규칙이므로 □ 안에는 ◁ 가 들어갑니다.

4 반복되는 부분은 ⊠⊠⊠⊠입니다.

따라서, ⊠와 ⊠ 사이에는 ⊠가 들어가야 합니다.

5 500원짜리 1개, 10원짜리 2개, 100원짜리 1개가 반복됩니다. 10원짜리 동전 2개가 연속으로 놓여 있으므로 □ 안에는 10원짜리 동전이 들어가야 합니다.

6 반복되는 부분은 🍓🍎🍎🍑🍑입니다.

□ 앞에는 딸기가 있으므로 □ 안에는 딸기 뒤의 과일인 사과가 놓입니다.

7 반복되는 수들은 1, 1, 3, 3, 5, 5입니다. □ 앞에 3이 있으므로 □ 안에는 3 또는 5가 올 수 있습니다. 그런데 반복되는 부분에서 3은 2번 있으므로 □ 안에는 3이 들어가야 합니다.

8 점이 왼쪽 위 ➡ 오른쪽 아래 ➡ 오른쪽 위 ➡ 왼쪽 아래 ➡ 왼쪽 위 ➡ …로 움직이고 있습니다. 반복되는 부분이 (점 모양들)이므로 (점 모양) 다음에는 (점 모양)를 그려야 합니다.

9 반복되는 부분이 (주사위 모양들)이므로 (주사위 모양) 뒤에는 (주사위 모양) 모양으로 바둑돌을 놓아야 합니다.

10 반복되는 부분은 ⬆➡⬇⬅입니다.

따라서, ⬇ 다음의 □ 안에는 ⬅가 들어가고, ⬆ 다음의 □ 안에는 ➡가 들어갑니다.

11 22−7−7−7=1(일)이므로 3일의 1일 후와 같은 목요일입니다.

12 4월 30일은 4월 5일부터 25일 후입니다. 따라서, 25−7−7−7=4(일)이므로 4월 5일의 4일 후와 같은 금요일입니다.

1 ☆, ◇   2 ◖
3 검은색 바둑돌   4 일요일
5 12개   6 14개

1 반복되는 부분은 ☆◆☆★◇☆입니다.
따라서, ◇ 뒤의 □ 안에는 ☆이 놓이고,
★ 뒤의 □ 안에는 ◇이 놓입니다.

2 반복되는 부분은 ◖◑◯입니다. 16째
번까지의 모양을 3개씩 묶어 보면 5묶음이
되고, 1개가 남습니다.
따라서, 16째 번에는 첫 번째 모양과 같은
◖이 놓이게 됩니다.

3 반복되는 부분은 ●●◐◐◯◯●입니다.
바둑돌 20개를 반복되는 부분을 한 묶음으
로 하여 묶어 보면 3묶음이 되고, 검은색 바
둑돌 2개가 남습니다.
따라서, 20째 번에는 검은색 바둑돌이 놓입
니다.

4 9월 2일은 7월 28일부터 31+5=36(일)
후입니다.
따라서, 36-7-7-7-7-7=1(일)이므로
7월 28일의 1일 후와 같은 일요일입니다.

5 바둑돌이 반복되는 부분은 ●◯◯◯●입
니다. 바둑돌 24개를 4개씩 묶으면 6묶음
이 됩니다. 한 묶음 안에는 흰 바둑돌이 2개
씩 있으므로 6묶음 안에는 2×6=12(개)가
있습니다.

6 도형이 반복되는 부분 ◯△◯◯□으로
23개를 5개씩 묶어 보면 4묶음이 되고, 3
개가 남습니다.
따라서, 한 묶음 안에 원이 3개씩 있으므로
원은 3×4+2=14(개) 있습니다.

1 주황색, 노란색   2 60
3 12개

1 색종이의 색깔이 빨강, 주황, 노랑, 초록, 노
랑으로 반복되고 있습니다. 색종이를 5개씩
묶으면 22째 번 색종이는 앞에서 2번째 색깔
과 같은 주황색 색종이이고, 25째 번 색종이
는 5번째 색깔과 같은 노란색 색종이입니다.

2 1, 2, 1, 3, 3이 반복되고 있습니다. 30째
번까지의 수들을 5개씩 묶어 보면 6묶음이
되고, 반복되는 부분의 수를 더하면
1+2+1+3+3=10입니다.
따라서, 30째 번까지의 수들의 합은
10+10+10+10+10+10=60입니다.

3 첫째 번 모양부터 넷째 번 모양까지가 한 묶
음이 되어 반복되고 있고, 한 묶음에는 빨간
색 구슬이 10개, 초록색 구슬이 14개 있습
니다. 한 묶음에서 두 색깔의 구슬의 차를 구
하면 14-10=4(개)이고, 12째 번 모양까
지를 반복되는 부분으로 묶어 보면 3묶음이
됩니다. 따라서, 12째 번 모양까지의 빨간색
구슬과초록색 구슬의 개수의 차는
4×3=12(개)입니다.

1 452개   2 108
3 57개   4 3
5 16개   6 56개
7 65자루   8 363
9 1700원   10 20송이
11 102장   12 211상자
13 20원   14 50원
15 25개   16 28장
17 8그루   18 3번
19 11   20 검은색 바둑돌

1 어제 생산한 달걀에 **267**을 더하여 구합니다.
185＋267＝452(개)

2 가장 큰 수는 **84**, 가장 작은 수는 **24**이므로
84＋24＝108입니다.

3 가영이가 모은 빈 병의 개수에서 예슬이가
모은 빈 병의 개수를 빼어 구합니다.
456－399＝57(개)

4 일의 자리의 계산에서 ㄴ＝**3**, ㄷ＝**3** 또는
ㄴ＝**8**, ㄷ＝**8**입니다.
ㄱ, ㄴ, ㄷ이 **3**인 경우 :
936－233＝703 (○)
ㄱ, ㄴ, ㄷ이 **8**인 경우 :
986－238＝748 (×)
따라서, □ 안에 들어갈 숫자는 **3**입니다.

5 사자는 다리가 **4**개입니다.
따라서, 사자 **4**마리의 다리는 모두
4×4＝16(개)입니다.

6 **7**을 **8**번 더한 것과 마찬가지이므로
7×8＝56(개)입니다.

7 연필 **4**다스는 **12＋12＋12＋12＝48**(자루),
연필 **3**다스는 **12＋12＋12＝36**(자루)이
므로, 사용하지 않은 연필은
48－19＋36＝65(자루)입니다.

별해

전체 연필 수에서 사용한 연필 수를 빼어 구
합니다.
48＋36－19＝65(자루)

8 앞의 수에서 뒤의 수의 **5**배를 빼어 계산합니다.
398☆7＝398－(7×5)＝363

9 가지고 있는 돈을 예상하여 구합니다.

신영	2000	2100	2200	2300
한솔	2000	1900	1800	1700
합	4000	4000	4000	4000
차	0	200	400	600

위의 표에서 돈의 차가 **600**원인 경우를 보
면 한솔이는 **1700**원을 가지고 있습니다.

10 꽃의 수를 예상하여 표를 만들어 구합니다.

장미의 수	22	23	24
튤립의 수	22	21	20
합	44	44	44
차	0	2	4

위의 표에서 꽃의 수의 차가 **4**송이인 경우를
보면 튤립은 **20**송이입니다.

11 문제를 그림으로 나타내면

㉯에 들어갈 수는 **105＋17＝122**, ㉮에
들어갈 수는 **122－20＝102**입니다.
따라서, 율기가 처음에 가지고 있던 스티커
는 **102**장입니다.

12 **9**명에게 **3**상자씩 팔았으므로
(9명에게 판 상자)＝**3×9＝27**(상자)이고,
6명에게 **4**상자씩 팔았으므로
(6명에게 판 상자)＝**4×6＝24**(상자)입니
다. 처음에 딴 사과 상자 수를 □라 하면,
□－**27－24＝160**이므로
□＝**160＋24＋27＝211**입니다.
따라서, 처음에 딴 사과는 **211**상자입니다.

13 빨간 구슬 **9**개와 파란 구슬 **12**개는 빨간 구
슬 **9**개와 파란 구슬 **13**개와의 관계에서 파
란 구슬 **1**개만큼의 차이가 납니다.
따라서, 파란 구슬 **1**개의 값은
680－660＝20(원)입니다.

14 장미 **2**송이를 색지로 포장한 값이 **650**원이
고, 같은 장미 **3**송이를 색지로 포장한 값이
950원이므로 장미 **1**송이의 값은
950－650＝300(원)입니다.
따라서, 장미 **2**송이의 값은
300＋300＝600(원)이므로 색지만의 값
은 **650－600＝50**(원)입니다.

15 바둑돌을 가로로 **5**개씩 묶으면 **5**묶음입니다.
따라서, 바둑돌은 모두 **5×5＝25**(개)입니다.

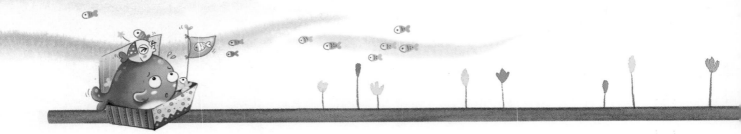

16 (둘레에 놓인 스티커의 개수)
$= (8-1) \times 4 = 7 \times 4 = 28$(장)

17 $4 \times 7 = 28$에서 간격의 수는 **7**개입니다.
따라서, 나무는 $7+1=8$(그루)가 필요합니다.

18 $8 \times 4 = 32$에서 **8cm**짜리 고무줄은 **4**개입니다.
따라서, 고무줄이 **4**개가 되려면 **3**번 잘라야 합니다.

19 반복되는 수들은 **2, 3, 5, 7, 11**입니다. □ 앞에 **7**이 있으므로 □ 안에는 **11**이 들어가야 합니다.

20 반복되는 부분은 ●○●●○입니다. 바둑돌 **14**개를 반복되는 부분으로 묶어 보면 **2**묶음이 되고, **4**개가 남습니다.
따라서, **14**째 번에는 앞에서 **4**번째와 같은 검은색 바둑돌이 놓입니다.

총괄 평가 **2**회 p. 81 ~ 85

1 130그루   2 264개
3 184개   4 195cm
5 63시간   6 36살
7 810개   8 344명
9 어제 : 112쪽, 오늘 : 103쪽
10 29개   11 362대
12 25명   13 2m 10cm
14 880원   15 24개
16 49개   17 9m
18 130cm   19 말
20 500원짜리

---

1 심은 나무 수는
(밤나무)+(소나무)+(잣나무)
$= 19+27+84 = 130$(그루)입니다.

2 (배의 수)=(사과의 수)+54+23이므로,
$187+54+23 = 264$(개)입니다.

3 이번 달 만든 장난감 수에서 지난 달 만든 장난감 수를 빼어 구합니다.
$723-539 = 184$(개)

4 전체 철사 길이에서 호랑이 모양과 토끼 모양을 만드는 데 사용한 철사 길이를 빼어 구합니다.
$721-437-89 = 195$(cm)

5 일 주일은 **7**일이므로 하루 **9**시간씩 **7**일 동안 잠을 잔 시간은 $9 \times 7 = 63$(시간)입니다.

6 석기의 나이는 동생 나이의 **3**배이므로
$6 \times 3 = 18$(살)입니다.
또한, 삼촌의 나이는 석기 나이의 **2**배이므로
$18+18 = 36$(살)입니다.

7 어제 생산한 달걀 **700**개에서 판 달걀 **280**개를 뺀 뒤, 오늘 생산한 달걀 **390**개를 더하여 구합니다.
따라서, $700-280+390 = 810$(개)입니다.

별해

생산한 전체 달걀 개수에서 판 달걀 개수를 빼어 구합니다.
$700+390-280 = 810$(개)

8 **340**명에서 전학 간 학생 수를 뺀 뒤, 전학 온 학생 수를 더하여 구합니다.
따라서, $340-31+35 = 344$(명)입니다.

별해

전체적으로 늘어난 학생 수만 구하면
$35-31 = 4$(명)이므로
$340+4 = 344$(명)입니다.

9 읽은 쪽수를 예상하여 표를 그려 구합니다.

어제 읽은 쪽수	108	109	110	111	112
오늘 읽은 쪽수	107	106	105	104	103
합	215	215	215	215	215
차	1	3	5	7	9

위의 표에서 쪽수의 차이가 **9**쪽인 경우, 어제 읽은 쪽수는 **112**쪽, 오늘 읽은 쪽수는 **103**쪽입니다.

10 문방구점에 있는 크레파스가 몇 개인지 구해서 **9**개를 뺍니다.

필통의 개수	41	42	43
크레파스의 개수	40	39	38
합	81	81	81
차	1	3	5

위의 표에서 볼 때 크레파스의 개수는 **38**개이므로 남는 크레파스의 개수는
38−**9**=**29**(개)입니다.

11 셋째 날 만든 자동차의 수를 □라 하면,
107+**205**+□=**674**이므로
□=**674**−**205**−**107**=**362**입니다.
따라서, 오늘 만든 자동차 수는 **362**대입니다.

12 문제를 그림으로 나타내면

$$㉮ \underset{+6}{\overset{-6}{\longleftrightarrow}} ㉯ \underset{-15}{\overset{+15}{\longleftrightarrow}} 34$$

㉯에 들어갈 수는 **34**−**15**=**19**,
㉮에 들어갈 수는 **19**+**6**=**25**입니다.
따라서, 처음 버스에 있던 사람은 **25**명입니다.

13 작은 리본 **3**개와 큰 리본 **3**개만큼의 차이가 납니다.
따라서, 작은 리본 **3**개와 큰 리본 **3**개를 만드는 데 필요한 끈의 길이는
3m **20**cm−**1**m **10**cm=**2**m **10**cm입니다.

14 연필 **2**자루만큼의 차이가 나므로 연필 **2**자루의 값은 **990**−**770**=**220**(원)입니다.
따라서, 연필 **8**자루의 값은
220+**220**+**220**+**220**=**880**(원)입니다.

15 구슬을 가로로 **6**개씩 묶으면 **4**묶음입니다.
따라서, 구슬은 모두 **6**×**4**=**24**(개)입니다.

16 {(가로에 놓인 호두의 개수)−1}×**4**=**24**에서 **6**×**4**=**24**이므로 가로에 놓인 호두의 개수는 **7**개입니다.
따라서, 전체 호두는 **7**×**7**=**49**(개)입니다.

17 연못에서 나무의 수와 간격의 수는 같습니다. 간격의 수가 **8**개이므로 **9**×**8**=**72**에서 나무와 나무 사이의 간격은 **9**m입니다.

18 원에서 점의 개수와 간격의 수는 같습니다.
10을 **11**번 더하면 **110**이므로 원의 둘레의 길이는 **110**cm이고, 원을 만들고 **20**cm가 남았으므로 끈의 길이는
110+**20**=**130**(cm)입니다.

19 반복되는 동물들을 살펴보면 사슴, 말, 말, 원숭이입니다.
사슴 다음에는 말을 말하는 규칙이므로 ( ) 안에는 말이 오게 됩니다.

20 **500**원짜리 **2**개, **100**원짜리 **1**개, **10**원짜리 **2**개가 반복됩니다.
10원짜리 동전 **2**개가 연속으로 나온 뒤에는 **500**원짜리 동전이 들어가야 합니다.

Memo

Memo

Memo

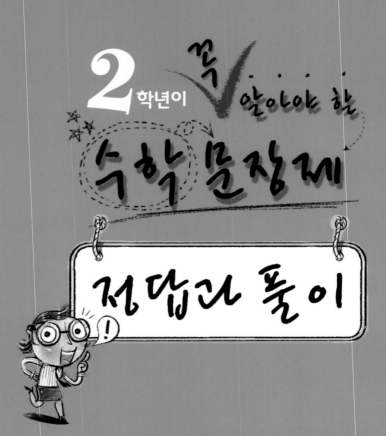

2학년이 꼭✓ 알아야 한

수학 문장제

정답과 풀이